舒缓，自然，惬意才是生活应有的样子。

诗 与 远 方 系 列

▲

理想的下午，我想和你虚度时光

蒙田 尼采 徐志摩 等著

时代出版传媒股份有限公司
北京时代华文书局

图书在版编目（CIP）数据

理想的下午，我想和你虚度时光 / 郁达夫等著；方圃译 .
-- 北京：北京时代华文书局，2016.5
（诗与远方系列）
ISBN 978-7-5699-0891-6

Ⅰ．①理… Ⅱ．①郁… ②方… Ⅲ．①散文集－世界 Ⅳ．① I16

中国版本图书馆 CIP 数据核字 (2016) 第 080595 号

理想的下午，我想和你虚度时光

著　　者 | 郁达夫等
译　　者 | 方　圃

出 版 人 | 杨红卫
选题策划 | 陈丽杰
责任编辑 | 陈丽杰　李凤琴
装帧设计 | 龙　梅　段文辉
责任印制 | 刘　银　訾　敬

出版发行 | 时代出版传媒股份有限公司 http://www.press-mart.com
北京时代华文书局 http://www.bjsdsj.com.cn
北京市东城区安定门外大街 136 号皇城国际大厦 A 座 8 楼
邮编：100011　电话：010－64267955　64267677
印　　刷 | 北京富诚彩色印刷有限公司　010 - 60904806
（如发现印装质量问题，请与印刷厂联系调换）
开　　本 | 880mm×1230mm　1/32
印　　张 | 7.5
字　　数 | 250 千字
版　　次 | 2016 年 7 月第 1 版　2018 年 7 月第 2 次印刷
书　　号 | ISBN 978-7-5699-0891-6

定　　价 | 36.00 元

目录
CONTENTS

一
允许自己虚度时光

二
生活不止眼前的苟且，还有诗和远方

三
拾起生活中的小小祥和

四
愿你自带光芒，温暖且明媚

一
允许自己虚度时光

这是属于我自己的下午，我迈着不疾不徐的步子，到树林中去寻觅一个幽静的所在，一个我相信在我之前从未有人造访过的幽静之地。

所谓开心享受，实则与内心喜好有关

罗伯特·林德

和一个居住在城里很久的人一起到乡村散步——也许，尤其是在四月份或五月份的时候——而不对他的无知的领域像大海那般深广感到讶异是不可能的。一个人在乡村散步而不对自己的无知的领域像大海那样深广感到讶异是不可能的。千万人活着，然

后死去，一生也不曾知晓山毛榉和榆树之间的区别，他们不知道乌鸦和画眉的啼鸣有何不同。也许，在一座现代化的都市，能够分辨乌鸦和画眉鸣叫声的人是例外。这并非我们没有见过这些鸟儿，而是我们忽略了它们。在我们漫长的一生当中，几乎每天都有鸟与我们为邻，然而我们却视而不见，是因为我们几乎丧失了对自然界的观察能力。这样，我们中的很多人弄不清苍头燕雀是否会唱歌，也不知道布谷鸟羽毛的颜色。我们像孩童一般争论布谷鸟是飞的时候唱歌还是栖息在树枝上的时候唱歌，争论查普曼的诗句是根据他的想象完成的呢，还是出自对大自然的客观描述：

当布谷鸟在橡树的浓荫中歌唱，
春天出行的人们不由心花怒放。

然而，这种无知并不完全可靠。从这种无知我们可以发现另外一种乐趣，这种乐趣出自天然。只要我们足够无知，那么每年春天来临，大自然讲述的故事就会一次又一次划过我们的眼睫，而每个故事都带着清晨的露珠。如若我们生活了半生还从未见过布

谷鸟，而只听过它流浪者般的声音，那么当我们看到它从一个树林飞到另一个树林，仿佛犯了什么过错。我们是非常的喜悦；我们对布谷鸟在敢于落到枞树山坡上（那里可能有猛禽潜伏着）之前，像鹰那样在风中抖擞羽毛，长长的尾巴划过空气并抖擞出声响，也特别地喜悦。如果说博物学家在观察鸟类生活中并无乐趣显然极为荒谬，但他的乐趣是平和的，同生平第一次看见布谷鸟的人那种喜悦相比，纯粹是源自理智的，聊胜于无的消遣；而且瞧着吧，世界换了模样，头面一新。

而至于这点，即便是博物学家的幸福也依赖于某种无知，无知给他一大片处女地去开垦。他也许通过书籍已经了解了事物的全部，但当他通过与现实比照，一点一滴地印证了细节之后，他仍然感到自己有一半是无知的。他希望亲眼目睹雌布谷鸟的一种

罕见行为——在地上下蛋，然后用嘴把蛋叼回窝里（在这窝里注定要发生荼毒幼鸟的事件）去。他一天又一天地守候着，用望远镜观察着鸟儿的一举一动，目的是证实或证伪。但实际上，就算他发现了这种鸟儿神秘的下蛋过程，世界上仍然有一个巨大的空白领域需要他征服，有一大堆争论不休的问题需要解答，例如布谷鸟的那只蛋的颜色是否同窝里（布谷鸟把它的那只蛋遗弃在这窝里）的其他蛋的颜色完全相同。实际上，迄今为止科学家们没有理由为他们错过的无知而落泪。如果说他们什么都懂，那是因为你我几乎什么都不懂。在他们开掘的每一个广阔领域后面，总是有一笔无知的财富在等待着他们。当然，他们永远也不会比托马斯・布朗爵士了解更多塞壬的故事，她唱给尤利塞斯听的是什么歌曲。

　　我以布谷鸟为例说明普通人的无知，这并未意味着我是以这

类鸟研究的权威身份来发言。理由仅仅是因为我曾在一个非洲鸟极度繁殖的教区里度过了一个春天，我因而认识到，对于它们，或者任何一个我熟识的人，是知道得极罕的。但你我的无知并不只局限于布谷鸟。它涉及所有造物主创造的东西，从太阳和月亮一直到各种花卉的名字。我曾听一位漂亮的夫人问，新月是否总在固定的那个星期几出现。当然，她补充说，她并不了解月亮的规律。因为，如果人们事先并不了解月亮在天空的什么地方、在哪天的哪个时辰出现，那么它的出似乎会给人带来一种意外的快乐。然而，我所知道的是，即使对那些了解月相活动的人来说，新月也经常出人意料地出现在天幕上。我们并不会因为对一年四季的物候足够了解，知道要在三月或四月看报春花，而非十月，而发现一棵早开的报春花时就不那么喜悦。我们也知道苹果树是在结果之前而不是在结果之后开花，但当五月我们到一家果园去度假时，这并不会减弱我们在假日里的喜悦度。

也许，相应的，每到春天重新温习一遍草木花卉的名字都会有一次喜悦。这就像人们重读一本已经几乎遗忘殆尽的书。蒙田曾经说，他的记忆力糟糕透了，以至于每次读一本旧书就好像从来没读过一般。我自己就有一个漏洞百出、断片化的记忆力。就算是读《哈姆雷特》和《匹克威克外传》，我也好像是在读新作家油墨未干的新书。因为在一次阅读和另一次阅读的间隔中，这些书的内容忽然消失在了虚空中。有些时候，这样的记忆力简直令人苦恼极了，特别是需要准确记忆的时候。但这种情况只会发生在当生活（除娱乐之外）另有其目的的时候。就纯粹给人以享受而言，坏的记忆力未见得不及好的记忆力。一个记忆力坏的人可以一生不间断地阅读普鲁塔克的作品和《天方夜谭》。就像一群羊一个接一个地从树篱的缺口越过不可能不在荆棘上留下几撮毛羊一般，很可能，即使在记忆力最坏的脑海中也会留下一鳞半爪，吉光片羽。但是羊本身逃掉了，那些大作家也以同样的方式从一个糟糕透顶的脑海里遗漏掉了，留下来的东西可真够可怜的。

而如果我们能够把知识遗忘的话，那么当一年十二个月一旦消失后，要把这些月份和它们向我们透露的信息一起忘掉一样容易。仅仅在刹那间我告知自己，我熟悉五月就像熟悉乘法表一般，并且我能够通过一场关于五月花卉的考试。今天我能够毫不迟疑地说出：金凤花有五个花瓣（也许是六个？总之上个星期我对答案十分肯定）。但明年我很可能把算术知识忘光，并且需要再次学习以免把金凤花同白屈菜混为一谈。再一次，我将通过一个陌生人的眼睛来观察世界这个花园，春意盎然的田野使我大吃一惊。我将发现自己在问自己，宣称雨燕（那儿黑色的被极度夸张的燕子；然而，可又是蜂鸟的同类）永远不落下来栖息。哪怕是在一个鸟窝上也绝不栖息，而是消失在夜空中，这是科学呢还是无知。我将带着新的讶异了解到唱歌的布谷鸟是雄的而非雌的。我也许要再学习一遍，以免将狗筋蔓和野天竺葵混淆，也许要再学习一遍植物学的知识，去重新认识榛皮树。一个外国人曾经问一个当代英国小说家，在英国，最重要的作物是什么。结果他回答说：“黑麦。”像这般无知无识的回答，堪称豪言壮语；但是，即使是完全不识字的人也有着其无知层面。使用电话机的普通人不了解电话的工作原理。他们把电话、火车、铸造排字机、飞机视为理所当然的东西，正像我们的祖先把福音书中的奇迹视作理所当然的东西一般。对这些东西，他们抱持这样的态度：既不怀疑也不理解。我们每个人好像只是生活在一个非常狭窄的知识领域并把这个领域变成了自己的。日常生活以外的知识被大多数人看作是不切实际的东西。然而我们还是经常对我们的无知有所反应，一再地提出疑问。我们不时地唤醒自己。我们喜欢对一切都思考——思考与死相关的命题，思考曾经使亚里士多德感到困惑的问题——“为什么中午到子夜这段时间打喷嚏是好的，但从半夜到中午打喷嚏则不祥”——人类感受过的最大欢乐之一是：迅速逃到无知中去追求智慧。

无知的巨大乐趣，归根结底，是提出问题的乐趣。已经失去了这种乐趣的人或已经用这种乐趣去换取教条的乐趣（这就是回答问题的乐趣）的人，意味着开始僵化。人们羡慕像乔伊特那样爱一问到底的人，他在六十岁之后还能坐下来学习生理学。我们中的大多数人在到达他那个年龄以前就已经钝化，丧失了无知感。我们对自己像松鼠那样吭哧吭哧积累起来的一点知识也感到自负，并把不断增长的年龄本身看作是无所不知，年龄并不意味着知识，它什么都不能说明。我们忘记了苏格拉底之所以以智慧闻名于世，并不是因为他无所不知，而是因为他在七十岁的时候依然认为自己还什么都不知道。

和生活融为一体的美好

托马斯·曼

不论是概略或事无巨细的叙述，我认为要将我对人生和世界的哲学概念或信念——或许应该说是我的世界观，或个人情感？——系统地进行表达，都是十分困难的。经由图表和数据间接表达我对世界和人生的态度，似乎我还不适应。我目前的状况，倒有点像浮士德被格列卿（Gretchen）问到他对宗教的态度时那般。

我知道你并非是要考问我，但这种询问方式大略相当。就我个人而言，要说出我对宗教的认知是很难的，但是谈谈哲学则要容易很多。可以肯定地说，我厌倦对精神方面的问题夸夸其谈。我一直讶异的是为何有些人能够轻易地谈论“上帝”——或甚至于写成文章。我始终认为，在宗教的态度上，人应该保持某种程度的谦虚，甚至缺乏信心远比自以为是更为恰当。我们似乎只能以间接的讨论上述问题：利用比喻，即一个伦理的象征，这样可以使概念本身与宗教脱离关系，就像神职人员脱去他的黑袍，而只探究合乎人性的精神领域的问题。

最近我听到一位智慧且博学的朋友讨论religio（信仰）这个拉丁词的来源和历史的一篇论文。这个词的动词形为relegerd或religare，它的非宗教的含义是照料、留意、想起等。它是neglegfre或negligere（疏忽大意）的反义词，指代专注、挂怀和仔细、严谨、小心等态度而言——也就是一切粗疏和马虎大意的相反词。贯穿整个拉丁时代，religio一词都与知觉、良心上的顾虑等相关。在最早的拉丁语典籍中，这个词的用法便已十分肯定，并非与宗教或神相关。

读了他的这篇文章我高兴极了。我告诉自己，如果那样便算是笃信宗教之人，那么每一个艺术家，仅以其艺术家的身份，就可大胆地自认为是一个教徒。因为还有什么会比粗心大意或疏忽更与艺术家的本性相违背呢？除了专注、严谨、观察、深深的凝注——除此之外，还有什么能够体现艺术家的道德标准和他与生俱来的特质呢？艺术家当然是最谨严的一群人，因为他们的智慧超越于常人，而艺术家以其创造性的才华在人生和心灵之间搭设桥梁，只是此一类型的一种陈述而已——或者我们应这样表达，一个令人难以置信的怪物？是的，细心的人有着这些特点；他敏锐而彻底地观察着整个宇宙精神的动向和力量，以及真理的趋向，正确但并不虚浮的一切，换句话说，那是上帝的旨意。心智和精神健全的人，必然不会在蒙昧中前行，更不会被蛊惑，而只会坚定地为真理服务。

那么，艺术家和诗人——他不止对自己的作品，对真（科学）、善（宗教），美（艺术）的一切都能融会贯通——可以说是一个虔诚的宗教人士。用歌德的话来说，他的意义是：

> 思想明灯下行走的人，永远完美而伟大。

再换言之：对我这样的人，有人性才有对宗教的信仰。我并非是说人性来自对人类的神化——事实上这完全没有依据！当一个人的言辞日日与残酷的现实相矛盾时，他在观察了疯狂的人类之后，还敢再说乐观的豪言壮语吗？每天我们都看到人类在犯十诫所禁止的恶事；每天我们都为前途而绝望，我们十分了解为何天使们自创世以来一见到全能的主对他那可疑的手工显出难解的神色时，他们就会露出一副不屑的神态。然而——今天更甚以往——不论我们的疑惑有什么样的依据，我们绝不可对人类心存讥讽和蔑视。虽然人类罪恶昭彰，但切不可忘记他们在艺术的形式、科学、真理的追求、美的创造、正义的概念等方面所显露出的伟大特质。每当我们说出人类或人性这两个词时，我们便触及一个神秘的隐喻，如果我们对这隐喻全无察觉，那么我们便已屈服于精神之死。

精神之死。这几个字听起来充满了宗教意味；而且庄严肃穆。今天我们处在一个非常严酷的时代，人类的所有问题以及我们对它的看法都宛若生死一般重大。对每个人而言，尤其是对有艺术天分的人，这是一个绕不开的命题；从宗教的角度来讲，这就是救赎。我深信：一位作家如果不能面对并且为他人解决来自人生的疑惑，而致向精神的败亡低头，那么他自身也已四面楚歌。毫无疑问，他的创造力先天发育不良，他的作品也必将不能成功，他的才能也将衰竭，直到他不能赋予作品生命力为止。即使在他受责备之前所创造的作品，而且是属于有生命力的作品，最终也将面目模糊。它将在人们视野里呈现崩溃之象。这些便是我的信念；我的脑海里确实有这样的案例。

当我说人类是一个神秘的种群时，我言过其实了吗？人类从哪里来？他来自大自然，来自自然界的动物，在行为上与其他物种并无差异。但是呈现在其自身的，是自然属性的自省。自然创造了他，不仅仅是要他主宰自己。也是在他身上，自然打开人的心胸，承接精神的奥义。他探究、赞赏，并对自己做出判断，就仿佛是这是他自己但同时又是更高的造物。发现自我，便是良知，便能分辨善恶。较人类低一层的自然不具有这种属性。但“他”是“无罪的”。但指向人类，他便有了罪——也就是“所谓堕落”。人类是自然离弃纯洁之后的堕落；这并非下降，乃是上升，也就是说，有良知之情况乃高于无罪之状态。基督徒所说的“原罪”，不止是教会控制人的一种策略。那是作为精神意义上的人对其天性的、犯错的倾向，以及在精神上超越弱点的一种深彻的醒悟。这是对自然的悖逆吗？当然不是。那是对自然最深邃的求索之反应。自然之创造出人类，出于其精神化的呈现目的。

这些概念既合乎基督教的宗教教义，又合乎人类的情性。而且很明显的，如果我们今天特别强调欧洲文化的基督教特质，对我们仍旧有很大益处。对那些缺乏足够的教育而企图“反基督教”的人，我会表达自己的愤怒情绪。我同样深信未来的人类——他们正从各种理论和研究中汲取生命的力量，且为当今优秀人才努力的目标，那必将诞生的，包含全人类的一种新觉醒——在基督信仰的世界里，在基督教的二元论（亦即灵魂和肉体、精神和生命、真理和“尘世”）中，人文主义将拥有持久且强大的生命力。

我深信人类的所有努力，必须都是为了这种新的人类的觉醒而诞生，这才算是良能。当我们这个无望又缺乏英雄的时代过去，所有人类将生活在这一觉醒的庇护与支配之下。我相信我的这些分析和付出。只有当它们与即将来临的诞生相关时，他们才拥有意义和价值。事实上，我一直认为受过洗礼的人，即所谓第三类人一定会出现，在面貌和基本性质上都与以往的人类不同。他以乐观的态度注视人类，但绝不过誉，因为他拥有“古人”所没有的知识和经验。他勇敢地面对人类的暗昧、无知和凶残，这最极端最原始的一面；而对其超越物种的精神价值怀有敬仰之情。这新的人类将具有世界性——他会有艺术家的态度，就是说，他对人类的伟大有明确的认知，他们的价值来自两个领域——自然界和精神界。他会知道在这一事实内，并不存在所谓浪漫的冲突和悲剧的二元论；而是命运和自由选择的完美且有效融合。以此为基础，才有对人类的慈爱，而人类的悲观与乐观也会就此融为一体。

年轻的岁月里，我沉迷于生活和精神、肉欲和超度相对立的奇怪哲学与情怀中。在这宇宙观中艺术焕发出迷人的光彩——虽然迷人，但对人类而言，并不具有实际意义和合理性。简言之，我是瓦格纳的拥趸，但也许是年龄增长的关系，我的爱心和注意力逐渐地集中在另一个人物身上：歌德。他是恶魔和文雅的混血儿，也因此使他成为高贵的人类之子。我并不是草率地将他选择为我崇拜的史诗英雄，他是一位得到天地万物诸神恩宠的人。

约瑟夫的父亲雅各曾对之赐福，满足他关于幸福的愿望。就我而言，这是对我理想的人类最简明扼要的说明。不论在心灵和人格领域内的任何之处，只要我发现把这些理想表现出来，例如黑暗和光明，情感和理智，蒙昧和文明。智慧和愉悦的心灵为之融合——概括地说，即我们所谓人是人性的神秘之体：我将献出诚挚的忠诚，我的心就有其安心之所。让我说得更明白晓畅：我的意思并不是把浪漫变得更黯淡，也不是粉饰野蛮。我只是阐明什么是文明，那便是文化；作为艺术家的人类，艺术乃是引领人类步向崎岖道上的明灯。

对人类的所有爱需留待未来，对艺术之爱亦当如此。艺术就是希望……我并非断言人类未来的希望落在艺术家的肩上；而是说艺术是全人类希望的呈现，是幸福而平衡的人类的影像与模范，我经常绘制着这样的蓝图：一个未来即将到来，那是一切并不由智能控制的艺术，我们将它斥之为魔术，没有头脑不负责任的本能的形体。我们之所以斥责它，就如它在像我们目前所处的无能时代里受到赞美一样。事实上，艺术并非完全是恬静和愉悦。它也并不像大地深处那么幽暗、盲目与怪异，它不仅仅是“生活”。未来的艺术家对其艺术将有更加明晰、更恰当的理解；艺术是天使的魔术，它是生活和精神之间有羽翼、有魔力、有幻影的调和者，因为调和一切的便是精神。

做些无用的小事，取悦自己

叔本华

对认知本身来说，无所谓苦痛。痛苦仅和意志有关，它的情形只不过是意志受到阻碍、抑制，而对此的额外要求就是必须对阻碍和抑制有所认识，这好比光线只有在物体反射光线时才可以照亮空间，声音只有在出现回响、共鸣，触碰到硬物产生空气波，且限定在特定的距离时才会被耳朵听见，也正由于此，在孤寂的山巅发出的呐喊和在辽阔的平原上歌唱，唯有低微的音响效果。同理，意志受到的阻碍和抑制，必定有着恰当的认识力，所谓的感觉痛苦才会成立，不过对认识力本身而言，痛苦仍是陌生的。

因此，感受到身体痛苦的前提，就是神经及其与脑髓的连接。所以假如切断了手脚连接脑髓的神经，抑或由于实施了哥罗芬麻醉，导致脑髓丧失了本身的功能，那么即便手脚受到损伤，我们也是感知不到的。所以，如果濒死的人意识消失，随之出现的身体的抽搐就被看作没有苦痛。而感知“精神”的痛苦要以认知为条件，就不需赘言了，很容易就可以看出精神的痛苦是随着认知程度的提高而不断增加的。因此，我们可以用一个非常形象的比喻来形容二者的关系：意志就像琴弦，对意志的阻碍或抑制就是琴弦的颤动，认知就是琴上的共鸣板，痛苦就是因此产生的声响。

如此看来，无论意志遭受什么样的抑制，植物和无机体都不会有痛感。与之相比，无论是什么动物，即使是纤毛虫，都会有痛感，因为认知是动物的共性，不管这一认知有多不完美。伴随动物等级的提高，由认知而感受到的痛感也不断增强。所以最低等的动物只会感受到最微弱的痛苦，比如身体差点儿被撕断的昆虫，只靠着肠子的一丝粘连还能够狼吞虎咽地进食。就算是最高等的动物，由于缺乏思想与概念，它们所感知的痛苦也不能与人的痛苦同日而语。它们只在否定了意志的可能性以后，对痛苦的感知力才能达到最高程度。假如不存在否定意志的可能性，这一感受就变成了毫无意义的痛苦折磨。

年轻时，我们对未来的生活充满憧憬，就像在剧院里等着大幕开启的孩子，迫切而兴奋地期待即将上演的好剧。对现实即将发生的事情毫无所知，其实是一种福气，在对真相了如指掌的人看来，这些孩子有时就像一群无辜的少年犯——没有被判死刑，反而被判要活下去，只是对这个判决所含有的意义，他们并不清楚。即使如此，人们也都想长寿，也都要达到这样的境界：“从此以后每况愈下，直至最糟糕的一天到来。”

倘若我们能竭尽全力地设想一下，太阳在运转的过程中照耀到的一切匮乏、痛苦以及磨难的总和，我们就必须得承认：假如像月球那样，太阳没有在地球上创造出生命，而地球表面依然处在晶体的状态下，情况也许会更好一些。我们也能够把生活看作是在极乐的安宁与虚无中加进的一小段骚动的插曲——即使毫无意义。不管怎样，即使是那些看起来生活得挺幸福的人，活得越久，越会清醒地认识到：总体而言，生活就是幻灭，不，准确地说就是一场骗局；或者更确切地说：生活具有某种错综复杂的气质。当两个年轻时的挚友，分别了大半生，晚年再度重逢时，二位老人间相互激起的就是“对自己一辈子彻底的幻灭与失望”感，因为只要看见对方，就会唤起自己对过去生活的记忆。在那活力四射的昨日，在他们眼里，生活散发着多彩的光芒；生活对我们的许诺如此丰富，只是真正履行的又没有几个——在昔日知己久别重逢的时候，这种感觉显然占据了上风，他们甚至不必用语言来描述，而相互心有灵犀，在心灵感应的基础上畅言怀旧。

如果谁经历了几代人的世事沧桑，就会产生一种好似旁观者的心境：这位观众已遍览市井戏台上全部的魔术杂耍，假如他一直坐在观众席上，接下来的节目不过是同样表演的循环往复。这些节目只为一场表演而设，所以在清楚了内容以后，不再有新奇感，重复的表演只会让人乏味。

假如考虑到宇宙浩繁复杂的布置安排：茫茫宇宙中，数不尽的发着光的、燃烧着的恒星，除了用自己的光热照耀别的星球以外，再没有其他事情可做；而被它们照亮的星球就是不幸与苦难上演的舞台。身处其中，即使遇到天大的好运，我们能获得的也只有无聊，就从我们所熟悉的物种来看，如此判断并不过分——倘若把这一切都考虑进去，那必定会让人发疯。

因此没有绝对值得我们羡慕的人，不过值得我们同情的人却数之不尽。

生活就像一件必须要完成定额的工作。从这个意义上讲，所谓的“安息”确实是最准确的表述。

在这个世界上，人类是被折磨者，同样也是折磨别人的魔鬼——这里就是地狱。

允许自己虚度时光

叔本华

并不像人们所说的，这个世界上事物的特征只是缺少完美，其实是颠倒和扭曲。不论是人的智力、道德，还是自然物理方面，一切都体现了这一点。

面对诸多恶行，常常会有这样的借口传入我们耳中："对于人类来说，这样的行径其实是自然的。"但这样的借口没有一点说服力；我们对此的回答应该是："正因为这样的行为非常恶劣，因此它是自然的；正因为它是自然的，因此它非常恶劣。"假如能准确理解这个思想的含意，那就表明已对原罪学说有所认识了。

我们在评判某个人时，必须要坚持这样的观点：此人存在的基础是"原罪"——某种罪恶、荒谬与颠倒，原本就是一些无胜于有的东西，所以一个人注定要死亡。此人的劣根性必定也是通过这样一个典型现实反映的：没有人能经得起真正的审视和检查。我们还要对人这样一类生物抱有什么样的期待呢？所以从这一点出发，我们能更加宽容地评判他人；即使是潜伏在人身上的魔鬼突然苏醒发威，我们也不会过于吃惊；我们也会尤为珍视在他人身上看到的优点，不管这是源自其智力还是别的什么因素。我们对他人的处境也会更加关注，并会认识到：从本质上讲，生活就是一种感到匮乏、不断需求与经常处于悲惨之中的条件状态，不论是谁，都得为自己的生存努力奋斗，所以就不会总是一副笑脸迎人的样子。

假如人真的像乐观的宗教与哲学所描述的样子，也就是说人是上帝的作品，甚或就是上帝的化身，并且不论从什么意义上讲，人这一类生物都是他应该成为的样子，那么，在我们与一个人初次见面、加深了解进而相互交往以后，我们所获得的印象与这种说法会是多么截然不同啊！

“原谅就是一切。”（《辛白林》，第5幕第5景）我们要用宽容的态度来对待人们的缺点、愚蠢和恶劣的行径，因为我们眼前看到的只是人类的共同缺陷。而我们之所以会对这缺陷这样愤怒，只因此刻我们自己还没有显现这些罢了。

也就是说，它们并未现于表面，而是藏在深处。如果有机会，就会马上现身，这好比我们从他人那里获得的经验，即使某种弱点在某个人身上会更加清晰，但不能否认的是，由于人具有个体差异性，在一个人身上的全部恶劣因子要比在另一个人身上的劣根性的总和还要多。

生存的虚无感到处都有，显露无遗：生存的整个形态；空间与时间的无限，相形之下个体在空间与时间上的有限；现时的匆匆易逝，却是现实此时仅有的存在形式；所有事物间相互依存又相对的关系；一切都处在不断变化之中，没有任何驻留、固定的存在；无限的渴望伴随着永远无法得到的满足；一切付出的努力都受到阻碍，生命的进程就是这样，直到阻碍被克服为止……时间和它所包含的所有事物所具有的无常、易逝的本质，只是一种形式罢了，像这样的努力与拼夺的虚无本质就以此向生存意志显现而出，而后者作为自在之物，是永恒存在的。由于时间的缘故，所有的一切都在我们的手中立刻化为虚无，其真正价值也全部消逝了。

以往曾存在过的，现在已不再，就好像从来没有存在过一样。但当前存在着的一切，在下一刻就成了过去的存在。所以与最重要和最有意义的过去相比，确实性就是最不重要和最没意义的现时所具有的根本优势。因此，现在与过去的关系，就相当于有与无的关系。

人们非常惊讶于这样的发现：在经过许多个千万年以后，自己忽然存在了！之后经过不长的一段时间，自己又会回归到漫长时间的非存在。这里面总有一些不妥——我们的心这样说。想到这样一些事情，即使是悟性很低的粗人，也可以隐隐触碰到时间的观念。若想真正步入形而上学的殿堂，就一定要清楚作为观念存在的空间与时间，这为我们理解其他同自然秩序完全不同的事物秩序奠定了基础。康德的伟大就在这里。

我们生命里的一切只在某一刻才属于现在时的“be”，当这一刻过去以后它会永远变成过去时的“used to be”。每当夜幕降临，就表明我们又少了一天。眼见我们原本很少的时间渐渐消失不见，这的确会让我们变得疯狂，所幸我们的内在深处还隐隐意识到：永不枯竭的源泉属于我们，生命时间可以借着这一源泉获得无限的更新。

基于前述这些思考，我们可以得出这样的理论：人生最大的智慧，就是享受当前的时刻并使它成为生命里永恒的目标，因为只有当前的这一刻才是唯一且真实的，其余的一切只是我们的想法和思绪罢了；不过我们一样也可以把这类做法看作最大的愚蠢，因为在随后的时刻发生的，会像上一刻那般梦一样消失得踪影全无，不复存在，这类东西永不值得用心地奋力争取。

唯有不断消失的现时才是我们生存的基点，此外没有其他。实质上，我们的生存形式就是连续不断的运动，那种朝思暮想的安宁基本上是不可能的。人类的生存就像一个跑下山坡的人，若想停下脚步就肯定会摔倒，唯有接着奔跑才能找到平衡以便稳住身体；或者好比在手指上掌握平衡的木杆；再不就

像行星，假如停止向前运行，就会撞到太阳。所以生存的根本特征就是运动不止。

在这样一个没有固定性的世界里，保持不变的状态是没法实现的，所有的一切都在变化与循环着。人人都在匆匆前行与奔驰，好比不断前行、做出很多动作以保证身体平衡的走钢丝的人——这样的世界，幸福无从谈起。

在一个柏拉图所说的“只有持续永恒的形成、发展，永无既成存在”的地方，幸福没有安身之处。没有人是幸福的，而每个人一辈子都在争取一种臆想的、却很少获得的幸福。假如真能得到这样的幸福，那他尝到的只有失望、幻灭的滋味。一般来说，在人们终于到达港湾时，搭乘的船只早已千疮百孔，风帆、桅杆

更是踪影全无。但鉴于生活仅由稍纵即逝的现时所构成，现时的生活立刻就会完结，所以，一个人究竟曾经是幸福还是不幸，就不太重要了。

我只愿留住秋天的美好

林语堂

秋天的黄昏，一人独坐在沙发上抽烟，看烟头白灰之下露出红光，微微透露出暖气，心头的情绪便跟着那蓝烟缭绕而上，一样的轻松，一样的自由。不转眼缭烟变成缕缕的细丝，慢慢不见了，而那霎时，心上的情绪也跟着消沉于大千世界，所以也不讲那时的情绪，而只讲那时的情绪的况味。待要再划一根洋火，再点起那已点过三四次的雪茄，却因白灰已积得太多，点不着，乃轻轻的一弹，烟灰静悄悄地落在铜炉上，其静寂如同我此时用毛笔写在中纸上一样，一点的声息也没有。

于是再点起来，一口一口地吞云吐雾，香气扑鼻，宛如偎红倚翠温香在抱情调。

于是想到烟，想到这烟一股温煦的热气，想到室中缭绕暗淡的烟霞，想到秋天的意味。这时才想起，向来诗文上秋的含义，并不是这样的，使人联想的是萧杀，是凄凉，是秋扇，是红叶，是荒林，是萋草。

然而秋确有另一意味，没有春天的阳气勃勃，也没有夏天的炎烈迫人、也不像冬天之全入于枯槁凋零。

我所爱的是秋林古气磅礴气象。有人以老气横秋骂人，可见是不懂得秋林古色之滋味。在四时中我于秋是有偏爱的，所以不妨说说。秋是代表成熟，对于春天之明媚娇艳，夏日之茂密浓深，都是过来人，不足为奇了，所以其色淡，叶多黄，有古色苍茏之概，不单以葱翠争荣了。

这是我所谓秋天的意味。

大概我所爱的不是晚秋，是初秋，那时暄气初消，月正圆，蟹正肥，桂花皎洁，也未陷入凛冽萧瑟气态，这是最值得赏乐的。

那时的温和，如我烟上的红灰，只是一股熏热的温香罢了。或如文人已排脱下笔惊人的格调，而渐趋纯熟练达，宏毅坚实，其文读来有深长意味。

这就是庄子所谓“正得秋而万宝成”结实的意义。

在人生上最享乐的就是这一类的事。

比如酒以醇以老为佳。烟也有和烈之辨。雪茄之佳者，远胜于香烟，因其味较和。倘是烧得得法，慢慢地吸完一支，看那红光炙发，有无穷的意味。

鸦片吾不知，然看见人在烟灯上烧，听那微微哔剥的声音，也觉得有一种诗意。大概凡是古老、纯熟、熏黄、熟练的事物，都使我得到同样的愉快。

如一只熏黑的陶锅在烘炉上用慢火炖猪肉时所发出的锅中徐吟的声调，是使我感到同观人烧大烟一样的兴趣。或如一本用过二十年而尚未破烂的字典，或是一张用了半世的书桌，或如看见街上一块熏黑了老气横秋的招牌，或是看见书法大家苍劲雄深的笔迹，都令人有相同的快乐，人生世上如岁月之有四时，必须要经过这纯熟时期，如女人发育健全遭遇安顺的，亦必有一时徐娘半老的风韵，为二八佳人所绝不可及者。

使我最佩服的是邓肯的佳句：“世人只会吟咏春天与恋爱，真无道理。须知秋天的景色，更华丽，更恢奇，而秋天的快乐有万倍的雄壮，惊奇，都丽。我真可怜那些妇女识见偏狭，使她们错过爱之秋天的宏大的赠赐。”若邓肯者，可谓识趣之人。

爱一切美好的事物

席慕容

上一封信里，我谈到居住环境对儿童的影响，有些朋友说，在一个大城市里，无法多与大自然接触，是一种必然的现象。可是，也有些朋友认为，我们可以想办法改善这一种现象，例如，较远的我们可以力行家庭计划，切实地去减轻人口的压力，较近的，我们可以多增加一些社区公园，让孩子们有在户外活动的

场地和机会。

事在人为，只要有深谋远虑的政府，有肯合作肯维持的有公德心的市民，我们的居住环境应该可以逐步地改善。只要我们肯去做，而且做得得法。

我为什么要加上最后的这一句呢？那是因为我有一些感触，很深的感触。我们不是没有社区公园，可是，公园里有太多的铁栏杆、太多的水泥，除了地上铺满水泥以外，还用水泥做出各式各样的东西：水泥的亭子、水泥的柱子、水泥的假山、水泥的竹子，真正是“巧夺天工”！

然而，它毕竟不是“天工”。

公园设立的目的，既然是为了要让住在水泥房子里的人能有

个休憩的处所，有个接近大自然的地方，那么，就应该有草地，有树，有真的石头，有真的竹子，哪怕只有小小的一点面积，可是，就应该是真的，自然的。

我不相信会有人对我这句话提出异议，可是，奇怪的是，所有的社区公园都在朝“巧夺天工”那条路上去走。同时，在全省各地只要有人发现了一个风景区，马上会有人在那个风景区里做规划和建设的安排，发展那个地方的观光事业就是充实那个地方的水泥设备：开路，装栏杆，在最漂亮的关口上盖一座红红绿绿的亭子，做了很多水泥凳子。不管是澄清湖也好，石门水库也好，好像观光局长身兼水泥厂厂长，恨不得把所有的名山胜水都糊上一层水泥。

为什么会这样呢？我们中国人不是一向很讲究情趣的吗？不是一向自命为清雅的民族吗？为什么会变成这个样子的呢？

我想，这个问题谈到最后，仍然要回到我们年轻的母亲身上来了，幼儿的美的教育，是我们一定要重视的一个环节。这一代有很多事情我们已改不了了，但是，无论如何，对我们的下一代，我们一定要多给他们一些美的熏陶，而这些美丽的事物从何处能得来呢？

还是原来的老答案：“大块假我以文章。”从自然的环境里，我们有取之不尽，用之不竭的美的宝库，只要你肯用心去汲取。

假如不能常常出去看景，我们就想点办法在家里种几盆小花。假如公寓房子不能养猫狗，我们就想办法养只鸟，或者养几条鱼。天气好的假日，尽量多带孩子出去走一走，不用去很出名的风景区，因为一定人挤人，就好像挑个春天上阳明山一样，是存心跟自己过不去。所以，最好找个不出名的小山去爬一爬，或者找个不出名的海滩去走一走。别人都去白沙湾的时候，我们一定不去，这样，才能够好好地度过一个愉快的假日，不会搞得人仰马翻，而什么都没看到、也没享受到。

孩子们的心，是最敏感的一颗心，请给他们足够的飞翔的自由与空间。在旅游的途中，除了给他们果汁、汽水、干粮以外，请随时随地培养他们观察大自然的兴趣与习惯。常看《国语日报》上的儿童作品，有些孩子们写的游记是一套公式：坐车去目的地，到了目的地吃东西、玩游戏、然后坐车回家。当然，对孩

子来说，换了个地方去游戏和吃东西已是很快乐很满意的事了，可是，我很担心，这里面会出来很多未来的水泥厂厂长，假如他将来不负责观光事业或社区公园的建设也就罢了，否则的话，二，三十年后，我们的风景区将剩不下多少自然的风景了。

就像淡水海边那一片孤独的水笔仔一样，大自然是一种不可以随意糟蹋的珍宝。我们要让我们的孩子认清楚这一个事实，让他们知道：所有美丽的事物都该用全心全意去维护与爱惜。

一日一日的春光美

冰心

去年冬末，我给一位远方的朋友写信，曾说：“我要尽量地吞咽今年北平的春天。”

今年北平的春天来的特别地晚，而且在还不知春在哪里的时候，抬头忽见黄尘中绿叶成荫，柳絮乱飞，才晓得在厚厚的尘沙黄幕之后，春还未曾露面，已悄悄地远引了。

天下事都是如此——

去年冬天是特别地冷，也显得特别地长。每天夜里，灯下孤坐，听着扑窗怒号的朔风，小楼震动，觉得身上心里，都没有一丝暖气，一冬来，一切的快乐，活泼，力量，生命，似乎都冻得蜷伏在每一个细胞的深处。我无聊地慰安自己说，“等着罢，冬天来了，春天还能很远么？”

然而这狂风，大雪，冬天的行列，排得意外地长，似乎没有完尽的时候。有一天看见湖上冰软了，我的心顿然欢喜，说，“春天来了！”当天夜里，北风又卷起漫天匝地的黄沙，愤怒地扑着我的窗户，把我心中的春意，又吹得四散。有一天看见柳梢嫩黄了，那天的下午，又不住地下着不成雪的冷雨，黄昏时节，严冬的衣服，又披上了身。有一天看见院里的桃花开了，这天刚刚过午，从东南的天边，顷刻布满了惨暗的黄云，跟着千枝风动，这刚放蕊的春英，又都埋罩在漠漠的黄尘里……

九十天看看过尽——我不信了春天！

几位朋友说，“到大觉寺看杏花去罢。”虽然我的心中，始终未曾得到春的消息，却也跟着大家去了。到了管家岭，扑面的风尘里，几百棵杏树枝头，一望已尽是残花败蕊；转到大工，向阳的山谷之中，还有几株盛开的红杏，然而盛开中气力已尽，不是那满树浓红，花蕊相间的情态了。

我想，“春去了就去了罢！”归途中心里倒也坦然，这坦然中是三分悼惜，七分憎嫌，总之，我不信了春天。

四月三十日的下午，有位朋友约我到挂甲屯吴家花园去看海棠，“且喜天气晴明”——现在回想起来，那天是九十春光中唯一的春天——海棠花又是我所深爱的，就欣然地答应了。

东坡恨海棠无香，我却以为若是香得不妙，宁可无香。我的院里栽了几棵丁香和珍珠梅，夏天还有玉簪，秋天还有菊花，栽后都很后悔。因为这些花香，都使我头痛，不能折来养在屋里。所以有香的花中，我只爱兰花、桂花、香豆花和玫瑰，无香的花中，海棠要算我最喜欢的了。

海棠是浅浅的红，红得“乐而不淫”，淡淡的白，白得“哀而不伤”，又有满树的绿叶掩映着，粗纤适中，像一个天真，健美，欢悦的少女，同是造物者最得意的作品。

斜阳里，我正对着那几树繁花坐下。

春在眼前了！

这四棵海棠在怀馨堂前，北边的那两棵较大，高出堂檐约五六尺。花后是响晴蔚蓝的天，淡淡的半圆的月，遥俯树梢。这四棵树上，有千千万万玲珑娇艳的花朵，乱哄哄的在繁枝上挤着开……

看见过幼稚园放学没有？从小小的门里，挤着的跳出涌出使人眼花缭乱的一大群的快乐，活泼，力量，和生命；这一大群跳着涌着的分散在极大的周围，在生的季候里做成了永远的春天！

那在海棠枝上卖力的春，使我当时有同样的感觉。

春来对于春的憎嫌，这时都消失了，喜悦的仰首，眼前是烂漫的春，骄奢的春，光艳的春，——似乎春在九十日来无数的徘徊瞻顾，百就千拦，只为的是今日在此树枝头，快意恣情地一放！

看得恰到好处，便辞谢了主人回来。这春天吞咽得口有余香！过了三四天，又有友人来约同去，我却回绝了。今年到处寻春，总是太晚，我知道那时若去，已是“落红万点愁如海”，春来萧索如斯、大不必去惹那如海的愁绪。

虽然九十天中，只有一日的春光，而对于春天，似乎已得了报复，不再怨恨憎嫌了。只是满意之余，还觉得有些遗憾，如同小孩子打架后相寻，大家忍不住回嗔作喜，却又不肯即时言归于好，只背着脸，低着头，撅着嘴说，“早知道你又来哄我找我，当初又何必把我冰在那里呢？”

二
生活不止眼前的苟且，还有诗和远方

每到春天重新温习一遍草木花卉的名字都会有一次喜悦，这就像人们重读一本已经几乎遗忘殆尽的书。

生活就是对力量的追求

爱默生

人类之车滚滚前行，来到了今天，可是，我们仍然发现，我们无法为一个人所可能具有的才能开列一张清晰的单据，而我们所能做的，只是把一个人的见解奉为金科玉律。又有谁能够为一个人的影响力划定一条界线呢？是有那么一些人，他们能够把整个民族吸引到身旁，并且引导着人类的生活，然而，他们并没有什么特异功能，他们所凭借的，只是自身和他的民族之间相互吸引的感应力而已。

在人世间，如果无论人的心灵走到哪里，自然都会和他形影相随，也就是说，如果人心和自然之间真有这种神秘的联系的话，那么，也许有些人身上的确蕴藏着无比巨大的磁力，以此，他可以牵引物质和自然的力量；而且，无论他们在什么地方显身，各种各样神奇的手段都会自然而然地在他们周围凝聚、运转。

什么是生活？生活就是对力量的追求。这个铁打的真理浸透了空间的角角落落，也弥漫了时间的时时刻刻：每个瞬间，每条罅隙，它都无所不在。所以，真诚的追求战无不胜，哪里有付出，哪里就有收获，这也是生活的真理。

所以，我们应该时刻警告自己：珍视事件和财物，不是把它们视为炫耀的装饰品，也不要把它们视为品德的绊脚石，它们不过是一堆有待开发的矿物质，我们真是在这里面，找到了力量，——一种美妙的矿物质。

如果事件、财物和身体的呼吸，可以把他们的价值物化为力量，灌输到人的身体之中，那么，毫无疑问，人可以得鱼忘筌：放弃具体的事件、财物和呼吸。这和人们得到了长生不老的仙丹之后，就能够把那些仙丹从中蒸馏而出的广阔花园加以抛弃一样。集求知的智慧和行动的勇气于一身的品德高洁之人士，是大自然追求的最高目标，而所有这一切，这一切地质学和天文学所荟萃的精神之花，就是对意志的孕育、培养。

众所周知，所有成功者都在一件事情上英雄所见略同：他们都是因果论的忠实笃信者。他们相信，事物绝非偶然的产物，当然了，更不是侥幸发展的结果；相反，他们坚信，事物是在规律之手的掌握之下有条不紊地发展的。他们确信，在联结着事物起源和终结的因果链上，决不会有任何一个薄弱的或者破裂的环节，一切都坚如磐石。

所有宝贵的心灵都有一个共同的特点：相信因果关系，或者说，相信即使是一件琐屑无聊的事情，也与生活的原则密切相关。他们相信后果，相信报应，或者说，他们相信善良的花朵不会结出恶劣的果实，而恶劣的花朵也绝对不会结出善良的果实。

每位勤奋者所流的每一滴汗水，都必定是这种信念的显现。最勇敢的人，也最相信法则的张力。所向披靡的波拿巴曾经说过：“所有伟大的首领都是依靠顺应技巧的规则，靠着使自己的努力适应于障碍，而获得了巨大的成就。”

打开时代之锁的也许是这一把钥匙，也许是那一把钥匙，或者是另外的那一把……少不更事的演说家们就是这样渲染着。然而，他们却无法得悉：愚蠢低能才是解答一切时代的钥匙。我们必须承认，在任何时候，绝大多数人都是愚蠢低能的，甚至英雄们也无法幸免。除了在特定的辉煌时刻，他们大多数时候，也都笼罩在愚蠢低能的阴霾之中。毫无疑问，他们都是地球引力、习俗和恐惧的牺牲品。天地间的芸芸众生总是在日出日落之间打发着日子，他们并不具备独立自主或者独立创造的习惯，也正是这一点，才使得强者显得力量无穷。

从明天起，做个幸福的人

亨利克·显克维奇

在夏天的晴朗夜色中，充满智慧的克利什纳沉入深深的冥想中，片刻他说：

“我曾以为，人是造物主的唯一宠儿，显然我错了。面对这晚风中风姿卓然的莲花，有什么比它更引人注目呢！月色中的莲瓣亭亭玉立。”

“是的，人类不具有这般的美。”他叹息着说。

之后，他又说：

“我身为神祇，为何不以自己的力量创造一个生命，使它宛若群芳苑中睡莲一样存在于人群之中，使它成为大地的骄傲！睡莲呵，你这花中的精灵，变成少女吧！”

好像轻盈的燕子从湖面上掠过，荡漾起一波涟漪；月光如银，使夜色更加温柔；夜莺轻啭歌喉，唱起了动人的歌。须臾，一切又归于沉寂，神的大能呈现了出来：一个莲花般的美人出现了。

神也为之惊叹。他说：

“你本是湖中的睡莲花，如今以我的思想之力呈现，你是否有话与我说？”

花之少女轻启朱唇，仿佛夏夜的风吹过玫瑰花瓣，带来一层层香气：

“伟大的神啊！你赐予了我生命，但是我该住在哪里？你知道，当我以花之身生在尘世，强风会使我颤抖，暴雨会使我闭合，雷电更会对我造成难以想象的伤害，就连太阳的光芒也会灼伤我。现在，你赐予我少女之身，却我依旧保留着花的性情，我畏惧这人间的一切呀。”

克利什纳抬起充满智慧的眼睛，望着宇宙中灿烂的星辰，沉吟道：

“你可愿住在高山之巅？”

“高山之上有积雪，寒冷无比，我怕呀，伟大的神灵。”

“那么，你可愿生活在湖底的宫殿？”

“湖底有巨蟒和水怪，我怕呀，伟大的神灵。”

“你可愿生活在自由的旷野？”

“伟大的神灵呀，旷野有兽群和雷电，我仍然害怕呀。”

“那可如何，你这拥有人身的花朵？噢，我想起来了，在遥远的埃罗拉山洞有很多遁世的隐士。你可愿避开红尘，住在那些幽穴？”

“山洞黑暗枯寂，我也怕呀，伟大的神。”

克利什纳坐在陡峭的岩石上，用右手支着腮思考。花之少女站在他的面前，因恐惧而发抖。

破晓的阳光映照在东方的天际。湖面、棕榈树、竹林都镀上了金色的光辉。水面上游动着各种各样的水鸟，有细腿长颈的鹭鸶、灰蓝色羽毛的鹤、姿态优雅的天鹅，林子里的孟加拉雀和孔雀不停地鸣叫着，声音此起彼落，仿佛是一支合唱队；绷紧在贝壳上的琴弦发出美妙的声音，克利什纳从沉思中出来。他说：

“这是诗人瓦尔美基在礼赞初升的朝阳。”

片刻之后，覆满紫色花瓣的帷幕徐徐拉开，瓦尔美基出现在空气清冽的湖畔。

当他看见花之少女的时候，忘记了演奏。手里的贝壳琴也掉落在地上，手足无措，完全忘记了该怎样表达喜悦。克利什纳施展神力，将他变成了一棵树。

神非常高兴诗人对其创造的痴迷。他说：

“瓦尔美基，请告诉我！”

瓦尔美基说：

“我爱！……”

这是诗人唯一的语言表达，也是他唯一还记得的人类语言。

克利什纳脸上闪烁着明月般的光辉，他说：

“花之少女，我以为你找到了立身之处：住在诗人的心里吧！”

瓦尔美基重复说：

“我爱！……”

伟大的克利什纳的力量，那是神性的力量，它使少女牵系诗人之心。神又使诗人的心纯净如水晶。

当少女走向神圣的殿堂，她明朗如夏日，静谧如恒河之水。但当她审视诗人瓦尔美基的心灵之时，顿时脸色苍白，为恐惧多笼罩。克利什纳讶异地问道：

“花之少女，你这是怎么了？”

“伟大的神啊，”少女回答说，“你要我住何处呢？我在诗人的心灵深处看到了绝峰的冰雪，湖底的巨怪，旷野上的兽群和雷电，还有埃罗拉洞穴一样的幽暗。我害怕呀，我的神！”

智慧善良的克利什纳答复说：

“花之少女，你切莫害怕。如果瓦尔美基心中有孤寂的冰雪，你就是一缕温暖的春风；如果瓦尔美基心中有黑暗的深渊，你就是一颗带来光亮的明珠；如果瓦尔美基心中有一片荒漠，你就是荒漠中的甘泉与花朵；如果瓦尔美基心中有埃罗拉洞窟般的岑寂，你就是火焰和笑声。”

这时，诗人瓦尔美基又恢复了他诗人的咏叹与歌唱能力，“花之少女，我要为你祝福！”

好好享受自然赐给我们的一切

卢梭

为了到花园里看日出，我起的比太阳还早；如果这是一个晴朗的好天气，我最大的期盼是不要有信件或来访扰乱这一天的清宁。我用上午的时间来完成各种琐事。这些事都是我乐意去做的，因为这些事没有一件是非必须处理不可的急事，然后我快速结束进餐，目的是躲开那些不受欢迎的拜访者，并且使自己有一个大把时间的下午。即使最炎热的天气，在中午一时前我就顶着烈日带着芳夏特（编按：卢梭养的一条狗的名字）散步去了。由于担心不速之客的缠扰，我的步伐又急又快。可是，当我踱步到人迹罕至的角落里，我便像得救了一般，大大地松了一口气，喃喃自语道："这是属于我自己的下午！"至此，我迈着不疾不徐的步子，到树林中去寻觅一个幽静的所在，一个很少人迹打扰因而没有奴役和统治印记的荒僻乐土，一个我相信在我之前从未有人造访过的幽静之地，那儿不会有令人厌恶的拜访者将我和大自然隔开。那儿，大自然在我眼前展开一幅永远生气勃勃的画卷。燃料木散发着金色的光芒、茂盛的欧石楠仿佛流溢着紫色的云烟，使我深深迷恋其中，使我欢欣欲舞；我头顶的树木丰美高大，我周遭的灌木葳蕤葱茏，我脚下的花儿五彩缤纷，铺开的绿草茵茵如毯，一切都令人目不暇接，真不知该观赏还是赞叹；如此美好的东西吸引着我的注意力，使我目眩神迷，使我流连忘返，使我的懒惰和爱空想的毛病大大地发作了，我常常想："不，伟大如所罗门也无法同它们当中任何一个比拟。"

我的想像不会让如此静谧的土地了无生机。我按自己的意志为这里安置居民，我把舆论、偏见和所有虚假的感情驱逐远遁，使那些配得上如此佳境的人迁徙进来。我将在这里构建一个亲切的社会，至少我也属于一个符合要求的成员。我按照自己的意愿构筑一个黄金时代，并用那些我曾在内心徘徊，验证并留下甜美记忆的情景充实这美好的一切，我多么向往人类真正的乐趣，如此洁净、如此甘美，但如今已远离人类这个时代。每念及此，我的泪水都会奔涌而出！啊！在这一刻，所有关于巴黎、关于我自己、我的作家身份以及种种卑微的虚荣心来扰乱我的清静，我就怀着轻蔑的心情毫不犹豫地将它们赶走，使我能够专心陶醉于这些美妙的感情！然而，在骋目驰怀的时候，我必须承认，这虚无的幻想有时会突然使我的心灵感到痛苦。甚至即使我所有的梦想变成现实，我也丝毫不会感到满足：因为我还会有新的梦想、新的期望、新的憧憬。我的身上有一种非物质层面所不能填充的无法解释的空虚，有一种我虽然无法阐明、但我能够感受到的对快乐的向往。然而，先生，其实这种向往也是一种乐趣，因为我将因此充满一种强烈的感情和一种惆怅——而这都是我不能舍弃的东西。

我将我的思想从低处升高，转向自然界所有的生命，转向事物普遍的体系，转向万能的不可思议的上帝。此刻我的心灵迷失于大千世界里，我停止思考，停止冥想，停止哲学的推理；我怀着快乐，感受着肩负宇宙的重压，我在这些伟大且混杂的观念中沉醉，我喜欢神游八极，魂飞天外；我的被禁锢的生命在这心灵世界感到几分狭窄，我在星月与大地之间感到窒息，我渴望投身到一个无限的世界中去。我相信，如若洞悉大自然所有的奥秘，我也许无法体验到这种令人惊异的力量，而处在一种并不那么甜美的状态里；我的心灵所沉湎的这种云山雾海的佳境使我在亢奋中高声呐喊："啊，伟大的上帝！啊，伟大的上帝！"但除此之外，我无法言语也不能思考任何其他东西。遗忘，但他们肯定不会把我忘却；不过，这难道还重要吗？反正任何人也不能来搅乱我的安宁。摆脱了纷繁的社会，树根系一般的尘世情欲，我的灵魂经常神游于虚空之上，提前跟天使们交流，并希望不久也加入这一行列。我知道，人们将竭力避免使我退隐，他们早已想将我拽回尘世。但是他们约束不了我的想象之翼，我想飞到哪里就飞到哪里，我想在哪里停驻就在哪里停驻，我经常一连几个小时沉浸在这种喜悦里。我还可以做一件更加美妙的事，那就是尽情想象。假如我想象自己生活在一个岛上，我不是同样可以天马行空地遐想吗？甚至，我还可以更进一步，在抽象的思维层面，再添加一些可爱的形象，使这一遐想更加真幻难辨。在我心醉神迷时我究竟处在怎样的世界，连我的感官也处于模糊状态；随着遐想越来越深入，遐想中的一切也被勾画得更加明了清晰。跟童真的自己相比，我现在更容易游走于形而上与形而下的世界中，心情也更加舒泰。不幸的是，想象力似乎正在慢慢衰竭，而曾经的体验却越来越恍惚，而且也不能长时间的存在。唉！正在一个人开始摆脱他的躯壳时，他的视线却被他的躯壳遮蔽了，且遮蔽的这般厉害！

Sisley

阳光明媚的午后，一起去看花

朱自清

生长在大江北岸一个城市里，那儿的园林本是著名的，但近来却很少；似乎自幼就不曾听见过“我们今天看花去”一类话，可见花事是不盛的。有些爱花的人，大都只是将花栽在盆里，一盆盆搁在架上；架子横放在院子里。院子照例是小小的，只够放下一个架子；架上至多搁二十多盆花罢了。有时院子里依墙筑起一座“花台”，台上种一株开花的树；也有在院子里地上种的。但这只是普通的点缀，不算是爱花。

家里人似乎都不甚爱花；父亲只在领我们上街时，偶然和我们到“花房”里去过一两回。但我们住过一所房子，有一座小花园，是房东家的。那里有树，有花架（大约是紫藤花架之类），但我当时还小，不知道那些花木的名字；只记得爬在墙上的是蔷薇而已。园中还有一座太湖石堆成的洞门，现在想来，似乎也还好的。在那时由一个顽皮的少年仆人领了我去，却只知道跑来跑去捉蝴蝶；有时掐下几朵花，也只是随意挼弄着，随意丢弃了。至于领略花的趣味，那是以后的事：夏天的早晨，我们那地方有乡下的姑娘在各处街巷，沿门叫着“卖栀子花来”。栀子花不是什么高品，但我喜欢那白而晕黄的颜色和那肥肥的个儿，正和那些卖花的姑娘有着相似的韵味。栀子花的香，浓而不烈，清而不淡，也是我乐意的。我这样便爱起花来了。也许有人会问：“你爱的不是花吧？”这个我自己其实也已不大弄得清楚，只好存而不论了。

在高小的一个春天，有人提议到城外寺里吃桃子去，而且预备白吃；不让吃就闹一场，甚至打一架也不在乎。那时虽远在五四运动以前，但我们那里的中学生却常有打进戏园看白戏的事。中学生能白看戏，小学生为什么不能白吃桃子呢？我们都这样想，便由那提议人纠合了十几个同学，浩浩荡荡地向城外而去。到了寺院，气势不凡地呵叱着道人们（我们称寺里的工人为道人），立刻领我们向桃园里去。道人们踌躇着说：“现在桃树刚才开花呢。”但是谁信道人们的话？我们终于到了桃园里。大家都丧

了气，原来花是真开着呢！这时提议人P君便去折花。道人们是一直步步跟着的，立刻上前劝阻，而且用起手来。但P君是我们中最不好惹的；“说时迟，那时快”，一眨眼，花在他的手里，道人已踉跄在一旁了。那一园子的桃花，想来总该有些可看，我们却谁也没有想着去看，只嚷着：“没有桃子，得沏茶喝！”道人们满肚子委屈地引我们到“方丈”那里，大家各喝一大杯茶。这才平了气，谈谈笑笑地进城去。大概我那时还只懂得爱一朵朵的栀子花，对于开在树上的桃花，是并不了然的那所以眼前的机会，便从眼前错过了。

以后渐渐念了些看花的诗，觉得看花颇有些意思。但到北平读了几年书，却只到过崇效寺一次；而去得又嫌早些，那有名的一株绿牡丹还未开呢。北平看花的事很盛，看花的地方也很多；

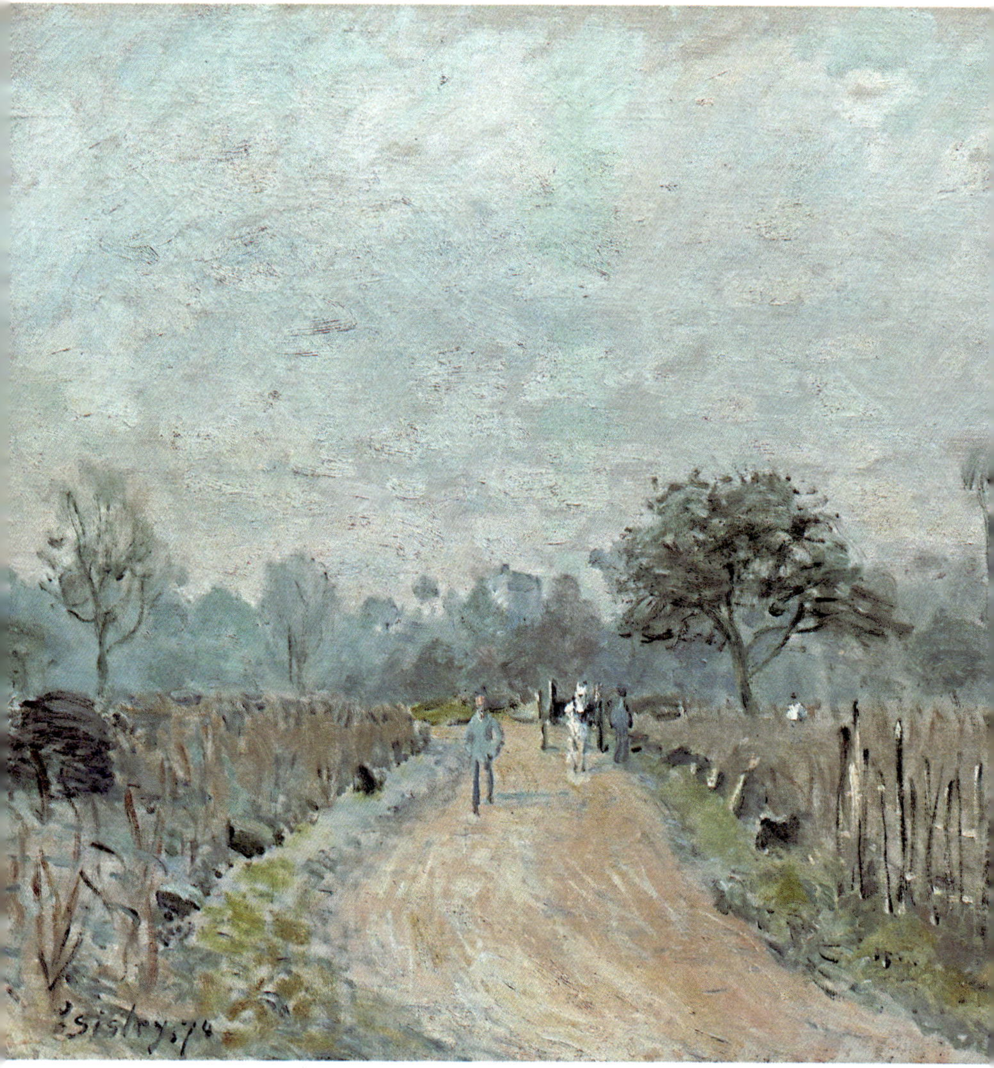

但那时热闹的似乎也只有一班诗人名士，其余还是不相干的。那正是新文学运动的起头，我们这些少年，对于旧诗和那一班诗人名士，实在有些不敬；而看花的地方又都远不可言，我是一个懒人，便干脆地断了那条心了。后来到杭州做事，遇见了Y君，他是新诗人兼旧诗人，看花的兴致很好。我和他常到孤山去看梅花。孤山的梅花是古今有名的，但太少；又没有临水的，人也太多。有一回坐在放鹤亭上喝茶，来了一个方面有须，穿着花缎马褂的人，用湖南口音和人打

招呼道："梅花盛开嗒！""盛"字说得特别重，使我吃了一惊；但我吃惊的也只是说在他嘴里"盛"这个声音罢了，花的盛不盛，在我倒并没有什么的。

有一回，Y来说，灵峰寺有三百株梅花；寺在山里，去的人也少。我和Y，还有N君，从西湖边雇船到岳坟，从岳坟入山。曲曲折折走了好一会，又上了许多石级，才到山上寺里。寺甚小，梅花便在大殿西边园中。园也不大，东墙下有三间净室，最宜喝茶看花；北边有座小山，山上有亭，大约叫"望海亭"吧，望海是未必，但钱塘江与西湖是看得见的。梅树确是不少，密密地低低地整列着。那时已是黄昏，寺里只我们三个游人；梅花并没有开，但那珍珠似的繁星似的骨朵儿，已经够可爱了；我们都觉得比孤山上盛开时有味。大殿上正做晚课，送来梵呗的声音，和着梅林中的暗香，真叫我们舍不得回去。在园里徘徊了一会，又在屋里坐了一会，天是黑定了，又没有月色，我们向庙里要了一个旧灯笼，照着下山。路上几乎迷了道，又两次三番地狗咬；我们的Y诗人确有些窘了，但终于到了岳坟。船夫远远迎上来道："你们来了，我想你们不会冤我呢！"在船上，我们还不离口地说着灵峰的梅花，直到湖边电灯光照到我们的眼。

Y回北平去了，我也到了白马湖。那边是乡下，只有沿湖与杨柳相间着种了一行小桃树，春天花发时，在风里娇媚地笑着。还有山里的杜鹃花也不少。这些日日在我们眼前，从没有人像煞有介事地提议："我们看花去"。但有一位S君，却特别爱养花；他家里几乎是终年不离花的。我们上他家去，总看他在那里不是拿着剪刀修理枝叶，便是提着壶浇水。我们常乐意看着。他院子里

一株紫薇花很好，我们在花旁喝酒，不知多少次。白马湖住了不过一年，我却传染了他那花的嗜好。但重到北平时，住在花事很盛的清华园里，接连过了三个春，却从未想到去看一回。只在第二年秋天，曾经和孙三先生在园里看过几次菊花。“清华园之菊”是著名的，孙三先生还特地写了一篇文，画了好些画。但那种一盆一干一花的养法，花是好了，总觉没有天然的风趣。直到去年春天，有了些余闲，在花开前，先向人问了些花的名字。一个好朋友是从知道姓名起的，我想看花也正是如此。恰好Y君也常来园中，我们一天三四趟地到那些花下去徘徊。今年Y君忙些，我便一个人去。我爱繁花老干的杏，临风婀娜的小红桃，贴梗累累如珠的紫荆，但最恋恋的是西府海棠。海棠的花繁得好，也淡得好；艳极了，却没有一丝荡意。疏疏的高干子，英气隐隐逼人。可惜没有趁着月色看过；王鹏运有两句词道：“只愁淡月朦胧影，难验微波上下潮。”我想月下的海棠花，大约便是这种光景吧。为了海棠，前两天在城里特地冒了大风到中山公园去，看花的人倒

也不少；但不知怎的，却忘了畿辅先哲祠。Y 告我那里的一株，遮住了大半个院子；别处的都向上长，这一株却是横里伸张的。花的繁没有法说；海棠本无香，昔人常以为恨，这里花太繁了，却酝酿出一种淡淡的香气，使人久闻不倦。Y 告我，正是刮了一日还不息的狂风的晚上；他是前一天去的。他说他去时地上已有落花了，这一日一夜的风，准完了。他说北平看花，是要赶着看的：春光太短了，又晴的日子多；今年算是有阴的日子了，但狂风还是逃不了的。我说北平看花，比别处有意思，也正在此。这时候，我似乎不甚菲薄那一班诗人名士了。

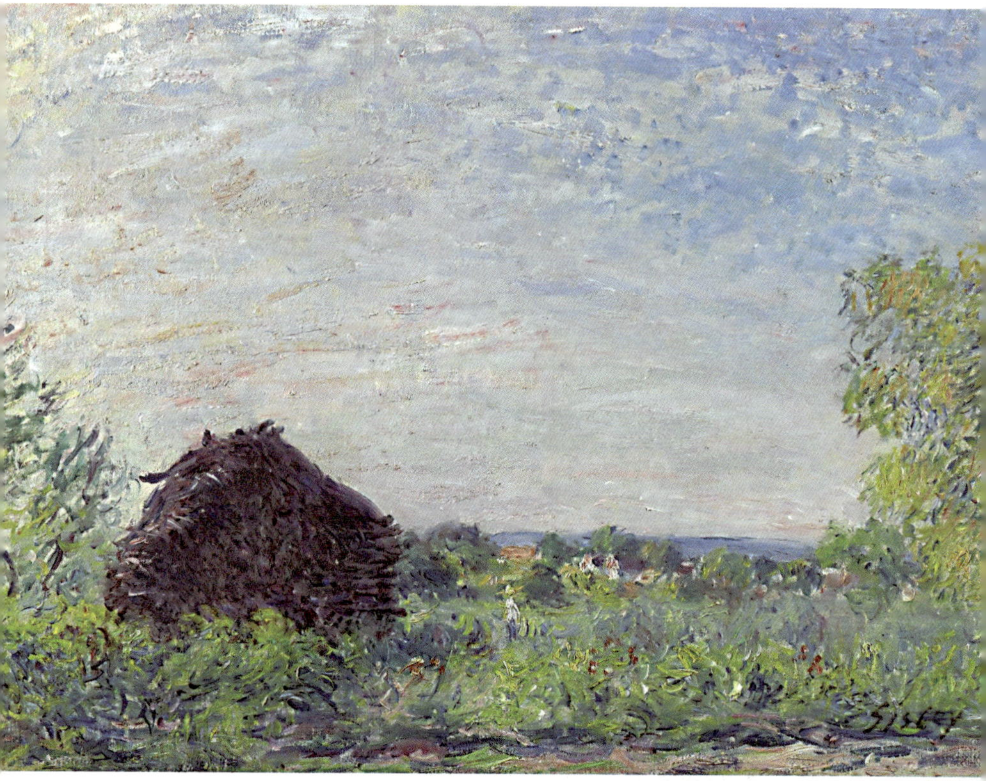

一场直抵内心的旅行

朱自清

这回从北京南归，在天津搭了通州轮船，便是去年曾被盗劫的。盗劫的事，似乎已很渺茫，所怕者船上的肮脏，实在令人不堪耳。这是英国公司的船，这样的肮脏似乎尽够玷污了英国国旗的颜色。但英国人说：这有什么呢？船原是给中国人乘的，肮脏是中国人的自由，英国人管得着！英国人要乘船，会去坐在大菜间里，那边看看是什么样子？那边，官舱以下的中国客人是不许上去的，所以就好了。是的，这不怪同船的几个朋友要骂这只船

是“帝国主义”的船了。“帝国主义的船”！我们到底受了些什么“压迫”呢？有的，有的！

我现在且说茶房吧。

我若有常常恨着的人，那一定是宁波的茶房了。他们的地盘，一是轮船，二是旅馆。他们的团结，是宗法社会而兼梁山泊式的，所以未可轻侮，正和别的“宁波帮”一样。他们的职务本是照料旅客，但事实正好相反，旅客从他们得着的只是侮辱，恫吓，与欺骗罢了。中国原有“行路难”之叹，那是因交通不便的缘故；但在现在便利的交通之下，即老于行旅的人，也还时时发出这种叹声，这又为什么呢？茶房与码头工人之艰于应付，我想比仅仅的交通不便，有时更显其“难”吧！所以从前的“行路难”是唯物的；现在的却是唯心的。这固然与社会的一般秩序及道德观念有多少关系，不能全由当事人负责任，但当事人的“性格恶”实也占着一个重要的地位的。

我是乘船既多，受侮不少，所以姑说轮船里的茶房。你去定舱位的时候，若遇着乘客不多，茶房也许会冷脸相迎；若乘客拥挤，你可就倒霉了。他们或者别转脸，不来理你；或者用一两句比刀子还尖的话，打发你走路——譬如说：“等下趟吧。”他说得如此轻松，凭你急死了也不管。大约行旅的人总有些异常，脸上总有一副着急的神气。他们是以逸待劳的，乐得和你开开玩笑，所以一切反应总是懒懒的，冷冷的；你愈急，他们便愈乐了。他们于你也并无仇恨，只想玩弄玩弄，寻寻开心罢了，正和太太们玩弄叭儿狗一样。所以你记着：上船定舱位的时候，千万别先高声呼唤茶房。你不是急于要找他们说话么？但是他们先得训你一

顿，虽然只是低低的自言自语：“啥事体啦？哇啦哇啦的！”接着才响声说，“噢，来哉，啥事体啦？”你还得记着：你的话说得愈慢愈好，愈低愈好；不要太客气，也不要太不客气。这样你便是门槛里的人，便是内行；他们固然不见得欢迎你，但也不会玩弄你了。——只冷脸和你简单说话；要知道这已算承蒙青眼，应该受宠若惊的了。

定好了舱位，你下船是愈迟愈好；自然，不能过了开船的时候。最好开船前两小时或一小时到船上，那便显得你是一个有“涵养工夫”的，非急莘莘的“阿木林”可比了。而且茶房也得上岸去办他自己的事，去早了倒绊住了他；他虽然可托同伴代为招呼，但总之麻烦了。为了客人而麻烦，在他们是不值得，在客人是不必要；所以客人便只好受“阿木林”的待遇了。有时船于明早十时开行，你今晚十点上去，以为晚上总该合式了，但也不然。晚上他们要打牌，你去了足以扰乱他们的清兴，他们必也恨恨不平的。这其间有一种“分”，一种默喻的“规矩”，有一种“门槛经”，你得先做若干次“阿木林”，才能应付得“恰到好处”呢。

开船以后，你以为茶房闲了，不妨多呼唤几回。你若真这样做时，又该受教训了。茶房日里要谈天，料理私货；晚上要抽大烟，打牌，那有闲工夫来伺候你！他们早上给你舀一盆脸水，日里给你开饭，饭后给你拧手巾，还有上船时给你摊开铺盖，下船时给你打起铺盖：好了，这已经多了，这已经够了。此外若有特别的事要他们做时，那只算是额外效劳。你得自己走出舱门，慢慢地叫着茶房，慢慢地和他说，他也会照你所说的做，而不加损害于你。最好是预先打听了两个茶房的名字，到这时候悠然叫着，那是更其有效的。但要叫得大方，仿佛很熟悉的样子，不可有一点讷讷。叫名字所以更其有效者，被叫者觉得你有意和他亲近（结果酒资不会少给），而别的茶房或竟以为你与这被叫者本是熟悉的，因而有了相当的敬意；所以你第二次第三次叫时，别人往往会帮着你叫的。但你也只能偶尔叫他们，若常常麻烦，他们将发现，你到底是“阿木林”而冒充内行，他们将立刻改变对你的态度了。至于有些人睡在铺上高声朗诵地叫着“茶房”的，那确似乎搭足了架子；在茶房眼中，其为“阿”字号无疑了。他们于是忿然地答应：“啥事体啦？哇啦啦！”但走来倒也会走来的。你若再多叫两声，他们又会说：“啥事体啦？茶房当山歌唱！”除非你真麻木，或真生了气，你大概总不愿再叫他们了吧。

“子入太庙，每事问，”至今传为美谈。但你入轮船，最好每事不必问。茶房之怕麻烦，之懒惰，是他们的特征；你问他们，他们或说不晓得，或故意和你开开玩笑，好在他们对客人们，除行李外，一切是不负责任的。大概客人们最普遍的问题，“明天可以到吧？”“下午可以到吧？”一类。他们或随便答复，或说，“慢慢来好啰，总会到的。”或简单地说，“早呢！”总是不得要领的居多。他们的话常常变化，使你不能确信，不确信自然不回了。他们所要的正是耳根清净呀。

茶房在轮船里，总是盘踞在所谓“大菜间”的吃饭间里。他们常常围着桌子闲谈，客人也可插进一两个去。但客人若是坐满了，使他们无处可坐，他们便恨恨了；若在晚上，他们老实不客气将电灯灭了，让你们暗中摸索去吧。所以这吃饭间里的桌子竟像他们专利的。当他们围桌而坐，有几个固然有话可谈；有几个却连话也没有，只默默坐着，或者在打牌。我似乎为他们觉着无聊，但他们也就这样过去了。他们的脸上充满了倦怠，嘲讽，麻木的气分，仿佛下工夫练就了似的。最可怕的就是这满脸：所谓“施施然拒人于千里之外”者，便是这种脸了。晚上映着电灯光，多少遮过了那灰滞的颜色，他们也开始有了些生气。他们搭了铺抽大烟，或者拖开桌子打牌。他们抽了大烟，渐有笑语；他们打牌，往往通宵达旦——牌声，争论声充满那小小的“大菜间”里。客人们，尤其是抱了病，可睡不着了；但于他们有甚么相干呢？活该你们洗耳恭听呀！他们也有不抽大烟，不打牌的，便搬出香烟画片来一张张细细赏玩：这却是“雅人深致”了。

我说过茶房的团结是宗法社会而兼梁山泊式的，但他们中间仍不免时有战氛。浓郁的战氛在船里是见不着的；船里所见，只是轻微淡远的罢了。“唯口出好兴戎”，茶房的口，似乎很值得注意。他们的口，一例是练得极其尖刻的；一面自然也是地方性使然。他们大约是“宁可输在腿上，不肯输在嘴上”。所以即使是同伴之间，往往因为一句有意的或无意的，不相干的话，动了真气，抡眉竖目的恨恨半天而不已。这时脸上全失了平时冷静的颜色，而换上热烈的狰狞了。但也终于只是口头“恨恨”而已，真个拔拳来打，举脚来踢的，倒也似乎没有。语云，“君子动口，小人动手”；茶房们虽有所争乎，殆仍不失为君子之道也。有人说，“这正是南方人之所以为南方人”，我想，这话也有理。茶房之于客人，虽也“不肯输在嘴上”，但全是玩弄的态度，动真气的似乎很少；而且你愈动真气，他倒愈可以玩弄你。这大约因为对于客人，是以他们的团体为靠山的；客人总是孤单的多，他们“倚众欺”起来，不怕你不就范的：

所以用不着动真气。而且万一吃了客人的亏，那也必是许多同伴陪着他同吃的，不是一个人失了面子：又何必动真气呢？克实说来，客人要他们动真气，还不够资格呐！至于他们同伴间的争执，那才是切身的利害，而且单枪匹马做去，毫无可恃的现成的力量；所以便是小题，也不得不大做了。

茶房若有向客人微笑的时候，那必是收酒资的几分钟了。酒资的数目照理虽无一定，但却有不成文的谱。你按着谱斟酌给与，虽也不能得着一声“谢谢”，但言语的压迫是不会来的了。你若给得太少，离谱太远，他们会始而嘲你，继而骂你，你还得加钱给他们；其实既受了骂，大可以不加的了，但事实上大多数受骂的客人，慑于他们的威势，总是加给他们的。加了以后，还得听许多唠叨才罢。有一回，和我同船的一个学生，本该给一元钱的酒资的，他只给了小洋四角。茶房狠狠力争，终不得要领，于是说：“你好带回去做车钱吧！”将钱向铺上一掼，忿然而去。那学生后来终于添了一些钱重交给他；他这才默然拿走，面孔仍是板板的，若有所不屑然。——付了酒资，便该打铺盖了；这时仍是要慢慢来的，一急还是要受教训，虽然你已给过酒资了。铺盖打好以后，茶房的压迫才算是完了，你再预备受码头工人和旅馆茶房的压迫吧。

我原是声明了叙述通州轮船中事的，但却做了一首“诅茶房文”；在这里，我似乎有些自己矛盾。不，“天下老鸦一般黑”，我们若很谨慎地将这句话只用在各轮船里的宁波茶房身上，我想是不会悖谬的。所以我虽就一般立说，通州轮船的茶房却已包括在内，特别指明与否，是无关重要的。

愿过有意思的生活

胡适

哪样的生活可以叫作新生活呢？我想来想去，只有一句话。新生活就是有意思的生活。你听了，必定要问我，有意思的生活又是什么样子的生活呢？ 我且先说一两件实在的事情做个样子，你就明白我的意思了。

前天你没有事做，闲的不耐烦了，你跑到街上的一个酒店里，打了四两白干，喝完了，又要四两，再添上四两。喝得大醉了，同张大哥吵了一回嘴，几乎打起架来。后来李四哥来把你拉开，你气忿忿地又要了四两白干，喝的人事不知，幸亏李四哥把你扶回去睡了。昨儿早上，你酒醒了，大嫂子把前天的事告诉你，你懊悔的很，自己埋怨自己："昨儿为什么要喝那么多酒呢？可不是糊涂吗？"

你赶上张大哥家去，作了许多揖，赔了许多不是，自己怪自己糊涂，请张大哥大量包涵。正说时，李四哥也来了，王三哥也来了。他们三缺一，要你陪他们打牌。你坐下来，打了十二圈牌，输了一百多吊钱。你回得家来，大嫂子怪你不该赌博，你又懊悔的很，自己怪自己道："是呵，我为什么要陪他们打牌呢？可不是糊涂吗？"

诸位，像这样子的生活，叫作糊涂生活，糊涂生活便是没有意思的生活。你做完了这种生活，回头一想，"我为什么要这样干呢？"你自己也回答不出究竟为什么。

诸位，凡是自己说不出"为什么这样做"的事，都是没有意思的生活。反过来说，凡是自己说得出"为什么这样做"的事，都可以说是有意思的生活。

生活的"为什么"，就是生活的意思。

人同畜牲的分别，就在这个"为什么"上。你到万牲园里去看那白熊一天到晚摆来摆去不肯歇，那就是没有意思的生活。我们做了人，应该不要学那些畜牲的生活。畜牲的生活只是糊涂，只是胡混，只是不晓得自己为什么如此做。一个人做的事应该件件回得出一个"为什么"。

我为什么要干这个？为什么不干那个？回答得出，方才可算是一个人的生活。

我们希望中国人都能做这种有意思的新生活。其实这种新生活并不十分难，只消时时刻刻问自己为什么这样做，为什么不那样做，就可以渐渐地做到我们所说的新生活了。

诸位，千万不要说"为什么"这三个字是很容易的小事。你打今天起，每做一件事，便问一个为什么——为什么不把辫子剪了？为什么不把大姑娘的小脚放了？为什么大嫂子脸上搽那么多的脂粉？为什么出棺材要用那么多叫花子？为什么娶媳妇也要用那么多叫花子？为什么骂人要骂他的爹妈？为什么这个？为什么那个？你试办一两天，你就会觉得这三个字的趣味真是无穷无尽，这三个字的功用也无穷无尽。

诸位，我们恭恭敬敬地请你们来试试这种新生活。

脚步慢一点，便可瞥见生活的细节

胡适

一、东西文化的界线

我离了北京，不上几天，到了哈尔滨。在此地我得了一个绝大的发现：我发现了东西文明的交界点。

哈尔滨本是俄国在远东侵略的一个重要中心。当初俄国人经营哈尔滨的时候，早就预备要把此地辟作一个二百万居民的大城，所以一切文明设备，应有尽有；几十年来，哈尔滨就成了北中国的上海。这是哈尔滨的租界，本地人叫作“道里”，现在租界收回，改为特别区。

租界的影响，在几十年中，使附近的一个村庄逐渐发展，也变成了一个繁盛的大城。这是“道外”。

“道里”现在收归中国管理了。但俄国人的势力还是很大的，向来租界时代的许多旧习惯至今还保存着。其中的一种遗风就是不准用人力车（东洋车）。“道外”的街道上都是人力车。一到了“道里”，只见电车与汽车，不见一部人力车。道外的东洋车可以拉到道里，但不准再拉客，只可拉空车回去。

我到了哈尔滨，看了道里与道外的区别，忍不住叹口气，自己想道：这不是东方文明与西方文明的交界点吗？东西洋文明的界线只是人力车文明与摩托车文明的界线——这是我的一大发现。

人力车又叫作东洋车，这真是确切不移。请看世界之上，人力车所至之地，北起哈尔滨，西至四川，南至南洋，东至日本，这不是东方文明的区域吗？

人力车代表的文明就是那用人作牛马的文明。摩托车代表的文明就是用人的心思才智制作出机械来代替人力的文明。把人作牛马看待，无论如何，够不上叫作精神文明。用人的智慧造作出机械来，减少人类的苦痛，便利人类的交通，增加人类的幸福，——这种文明却含有不少的理想主义，含有不少的精神文明的可能性。

我们坐在人力车上，眼看那些圆颅方趾的同胞努起筋肉，弯着背脊梁，流着血汗，替我们做牛做马，施我们行远登高，为的是要挣几十个铜子去活命养家，——我们当此时候，不能不感谢那发明蒸汽机的大圣人，不能不感谢那发明电力的大圣人，不能不祝福那制作汽船汽车的大圣人：感谢他们的心思才智节省了人类多少精力，减除了人类多少苦痛！你们嫌我用“圣人”一个字吗？孔夫子不说过吗？“制而用之谓之器。利用出入，民咸用之，谓之神。”孔老先生还嫌“圣”字不够，他简直要尊他们为“神”呢！

二、摩托车的文明

去年八月十七日的《伦敦晚报》（Evening Standand）有下列的统计：

全世界的摩托车共二四，五九〇，〇〇〇辆。

全世界人口平均每七十一人有一辆摩托车。

美国每六人有车一辆。

加拿大与纽西兰每十二人有车一辆。

澳洲每二十人有车一辆。

今年一月十六日纽约的《国民周报》（The Nation）有下列的统计：

全世界摩托车　二七，五〇〇，〇〇〇。

美国摩托车　二二，三三〇，〇〇〇。

美国摩托车数占全世界百分之八十一。

美国人口平均每五人有车一辆。

去年（1926）美国造的摩托车凡四百五十万辆，出口五十万辆。

美国的路上，无论是大城里或乡间，都是不断的汽车。《纽约时报》上曾说一个故事：有一个北方人驾着摩托车走过Miami2的一条大道，他开的速度是每点钟三十五英里。后面一个驾着两轮摩托车的警察赶上来问他为什么挡住大路。他说，“我开的已是三十五里了。”警察喝道：“开六十里！”

今年三月里我到费城（Philadelphia）演讲，一个朋友请我到乡间Harverford3去住一天。我和他同车往乡间去，到了一处，只见那边停着一二百辆摩托车。我说："这里开汽车赛会吗？"他用手指道："那边不在造房子吗？这些都是木匠泥水匠坐来做工的汽车。"

这真是一个摩托车的国家！木匠泥水匠坐了汽车去做工，大学教员自己开着汽车去上课，乡间儿童上学都有公共汽车接送，农家出的鸡蛋牛乳每天都自己用汽车送上火车或直送进城。十字街头，向来总有一两家酒店的；近年酒禁实行了，十字街头往往建着汽油的小站。车多了，停车的空场遂成为都市建筑的一个大问题。此外还发生了许多连带的问题，很能使都市因此改观。例如我到丹佛城（Danver），看见墙上都没有街道的名字，我很诧异。后来才看见街名都用白漆写在马路两边的"行道"（Pavement or side walk）的底下，为的是要使夜间汽车灯光容易照着。这一件事便可以看出摩托车在都市经营上的影响了。

摩托车的文明的好处真是一言难尽。汽车公司近年通行"分月付款"的法子，使普通人家都可以购买汽车。据最近统计，去年一年之中美国人买的汽车有三分之二是分月付钱的。这种人家向来是不肯出远门的。如今有了汽车，旅行便利了，所以每日工作完毕之后，在家带了家中妻儿，自己开着汽车，到郊外去游玩；每星期日，可以全家到远地旅行游览。例如旧金山的"金门公园"，远在海滨，可以纵观太平洋上的水光岛色；每到星期日，四方男女来游的真是人山人海！这都是摩托车的恩赐。这种远游的便利可以增进健康，开拓眼界，增加知识，——这都是我们的轿子文明与人力车文明底下想象不到的幸福。

最大的功效还在人的官能的训练。人的四肢五官都是要训练的；不练就不灵巧了，久不练就迟钝麻木了。中国乡间的老百姓，看见汽车来了，往往手足失措，不知道怎样回避；你尽着呜呜地压着号筒，他们只听不见；连街上的狗与鸡也只是懒洋洋地踱来摆去，不知避开。但是你若把这班老百姓请到上海来，请他们从先施公司走到永安公司去，他们便不能不用耳目手足了。走过大马路的人，真如《封神传》上的黄天化说的“须要眼观四处，耳听八方”。你若眼不明，耳不听，手足不灵动，必难免危险。这便是摩托车文明的训练。

美国的汽车大概都是各人自己驾驶的。往往一家中，父母子女都会开车。人工贵了，只有顶富的人家可以雇人开车。这种开车的训练真是“胜读十年书”！你开着汽车，两手各有职务，两脚也各有职务，眼要观四处，耳要听八方，还要手足眼耳一时并用，同力合作。你不但要会开车，还要会修车；随你是什么大学教授、诗人诗哲，到了半路车坏的时候，也不能不卷起袖管，替机器医病。什么书呆子，书踱头，傻瓜，若受了这种训练，都不会四体不勤，五官不灵了。你们不常听见人说大学教授“心不在焉”的笑话吗？我这回新到美国，有些大学教授如孟录博士等请我坐他们自己开的车，我总觉得有点栗栗危惧，怕他们开到半路上忽然想起什么哲学问题或天文学问题来，那才危险呢！便是我经过几回之后，才觉得这些大学教授已受了摩托车文明的洗礼，把从前的“心不在焉”的呆气都赶跑了，坐在轮子前便一心在轮子上，手足也灵活了，耳目也聪明了！猗欤休哉！摩托车的教育！

三、一个劳工代表

有些自命“先知”的人常常说:“美国的物质发展终有到头的一天;到了物质文明破产的时候,社会革命便起来了。”

我可以武断地说:美国是不会有社会革命的,因为美国天天在社会革命之中。这种革命是渐进的,天天有进步,故天天是革命。如所得税的实行,不过是十四年来的事,然而现在所得税已成了国家税收的一大宗,巨富的家私有纳税百分之五十以上的。这种“社会化”的现象随地都可以看见。从前马克思派的经济学者说资本愈集中则财产所有权也愈集中,必做到资本全归极少数人之手的地步。但美国近年的变化却是资本集中而所有权分散在民众。一个公司可以有一万万的资本,而股票可由雇员与工人购买,故一万万元的资本就不妨有一万人的股东。近年移民进口的限制加严,贱工绝迹,故国内工资天天增涨;工人收入既丰,多有积蓄,往往购买股票,逐渐成为小资本家。不但白人如此,黑人的生活也逐渐抬高。纽约城的哈伦区,向为白人居住的,十年之中土地房屋全被发财的黑人买去了,遂成了一片五十万人的黑人区域。人人都可以做有产阶级,故阶级战争的煽动不发生效力。

我且说一个故事。

我在纽约时,有一次被邀去参加一个“两周讨论会”(Fortnightly Forum)。这一次讨论的题目是“我们这个时代应该叫什么时代”?十八世纪是“理智时代”,十九世纪是“民治时代”,这个时期应该叫什么?究竟是好是坏?

依这个讨论会规矩，这一次请了六位客人作辩论员：一个是俄国克伦斯基革命政府的交通总长；一个是印度人；一个是我；一个是有名的“效率工程师”，（Efficiency）是一位老女士；一个是纽约有名的牧师（Holmes）；一个是工会代表。

有些人的话是可以预料的。那位印度人一定痛骂这个物质文明时代；那位俄国交通总长一定痛骂鲍尔雪维克，那位牧师一定是很悲观的；我一定是很乐观的；那位女效率专家一定鼓吹她的效率主义。一言表过不提。

单说那位劳工代表Frahne先生。他站起来演说了。他穿着晚餐礼服，挺着雪白的硬衬衫，头发苍白了。他站起来，一手向里面衣袋里抽出一卷打字的演说稿，一手向外面袋里摸出眼镜盒，取出眼镜戴上。他高声演说了。

他一开口便使我诧异。他说：我们这个时代可以说是人类有历史以来最好的伟大的时代，最可惊叹的时代。

这是他的主文。以下他一条一条地举例来证明这个主旨。他先说科学的进步，尤其注重医学的发明；次说工业的进步；次说美术的新贡献，特别注重近年的新音乐与新建筑。最后他叙述社会的进步，列举资本制裁的成绩，劳工待遇的改善，教育的普及，幸福的增加。他在十二分钟之内描写世界人类各方面的大进步，证明这个时代是人类有史以来最好的时代。

我听了他的演说，忍不住对自己说道：这才是真正的社会革命。社会革命的目的就是要做到向来被压迫的社会分子能站在大庭广众之中歌颂他的时代为人类有史以来最好的时代。

四、往西去!

我在莫斯科住了三天，见着一些中国共产党的朋友，他们很劝我在俄国多考察一些时。我因为要赶到英国去开会，所以不能久留。那时冯玉祥将军在莫斯科郊外避暑，我听说他很崇拜苏俄，常常绘画列宁的肖像。我对他的秘书刘伯坚诸君说：我很盼望冯先生从俄国向西去看看。即使不能看美国，至少也应该看看德国。

我的老朋友李大钊先生在他被捕之前一两月曾对北京朋友说：“我们应该写信给适之，劝他仍旧从俄国回来，不要让他往西去打美国回来。”但他说这话时，我早已到了美国了。

我希望冯玉祥先生带了他的朋友往西去看看德国美国；李大钊先生却希望我不要往西去。要明白此中的意义，且听我再说一件有趣味的故事。

我在日本时，同了马伯援先生去访问日本最有名的经济学家福田德三博士。我说：“福田先生，听说先生新近到欧洲游历回来之后，先生的思想主张颇有改变，这话可靠吗？”

他说：“没有什么大的改变。”

我问：“改变的大致是什么？”

他说：“从前我主张社会政策；这次从欧洲回来之后，我不主张这种妥协的缓和的社会政策了。我现在以为这其间只有两条路：不是纯粹的马克思派社会主义，就是纯粹的资本主义。没有第三条路。”

我说：“可惜先生到了欧洲不曾走的远点，索性到美国去看看，也许可以看见第三条路，也未可知。”

福田博士摇头说：“美国我不敢去，我怕到了美国会把我的学说完全推翻了。”

我说：“先生这话使我颇失望。学者似乎应该尊重事实。若事实可以推翻学说，那么，我们似乎应该抛弃那学说，另寻更满意的假设。”

福田博士摇头说：“我不敢到美国去。我今年五十五了，等到我六十岁时，我的思想定了，不会改变了，那时候我要往美国看看去。”

朋友们，不要笑那位日本学者。他还知道美国有些事实足以动摇他的学说，所以他不敢去。我们之中却有许多人决不承认世上会有事实足以动摇我们的迷信的。

五、东方人的“精神生活”

我到纽约后的第十天——一月二十一日——《纽约时报》上登出一条很有趣味的新闻：

昨天下午一点钟，纽吉赛邦的恩格儿坞（Englewood，n.j.）的山郎先生住宅面前，围了许多男男女女，小孩子，小狗，等着要看一位埃及道人（Fakir）名叫哈密（Hamid bey）的被活埋的奇事。

哈密道人站在那掘好的坟坑旁边；微微的雨点洒在他的飘飘的长袍上。他身边站着两个同道的助手。

人越来越多了。到了一点一分的时候，哈密道人忽然倒在地下，不省人事了。两个请来的医生同了三个报馆访员动手把他的耳朵、鼻子、嘴，都用棉花塞好。随后便有人来把哈密道人抬下坟坑，放在坟里的内穴里。他脸上撒了一薄层的沙。内穴上面用木板盖好。

内穴上面还有三尺深的空坑，他们也用泥土填满了。填满了后，活埋的工作算完了。

到场的许多人都走进山郎先生的家里去吃茶点。山郎夫人未嫁之前就是那位绰号“千眼姑娘”的李麻小姐。她在那边招待来宾，大家谈着“人生无涯”一类的问题，静候那活埋道人的复活。

一点钟过去了。点半过去了。……两点钟过去了。……

到了下午四点，三个爱尔兰的工人动手把坟掘开。三个黑种工人站在旁边陪着，——也许是给那三个白种同伴镇压邪鬼罢。

四点钟敲过不久，哈密道人扶起来了。扶到了空气里，他便颤动了，渐渐活过来了。他低低地喊了一声“胡帝尼”，微微一笑，他回生了。

他未埋之先，医生验过他的脉跳是七十二，呼吸是十八。复活之后，脉跳与呼吸仍是七十二与十八。他在坑里足足埋了两点五十二分。

这回的安排布置全是勒乌公司（Loew’s）的杜纳先生办理的。杜纳先生说，本想同这位埃及道人订一个“杂耍戏”的契约，不过还得考虑一会，因为看戏的人等不得三个钟头就都会跑光了。

哈密道人却很得意，他说他还可以活埋三天咧。

美国是个有钱的地方，世界各国的奇奇怪怪的宗教掮客都赶到这里来招揽信徒，炫卖花样。前一年，有个埃及道人名叫拉曼（Rahman）的，自称能收敛心神，停止呼吸。他当大众试验，闭在铁棺内，沉在赫贞河里，过一点钟之久。当时美国有大幻术胡帝尼（Harry houdini）研究此事，说这不是停止呼吸，乃是一种“浅呼吸”，是可以操练出来的。胡帝尼自己练习，到了去年夏间，他也公开试验：睡在铁棺里，叫人沉在纽约谢尔敦大旅馆的水池里，过了

一点半钟，方才捞起来。开棺之后，依然复生，不过脉跳增加至一百四十二跳而已。胡帝尼的成绩比拉曼加长半点钟，能使人明白这种把戏不过是一种技术上的训练，并没有什么精神作用。

胡帝尼死后，这班东方道人还不服气，所以有今年一月二十日哈密道人的公开试验。哈密的成绩又比胡帝尼加长了八十二分钟，应该够得上和勒乌公司订六个月的“杂要戏”的契约了，然而杜纳先生又嫌活埋三点钟太干燥无味了，怕不能号召看戏的群众！可惜，可惜！大概哈密先生和他的道友们后来仍旧回到东方继续他们的“内心生活”了罢。

胡帝尼的试验的精神是很可佩服的。其实即使这班东方道人真能活埋三点钟以至三天，完全停止呼吸，这又算得什么精神生活？这里面哪有什么“精神的分子”？泥里的蚯蚓，以至一切冬天蛰伏的爬虫，不是都能这样吗？

六、麻将

前几年，麻将牌忽然行到海外，成为出口货的一宗。欧洲与美洲的社会里，很有许多人学打麻将的；后来日本也传染到了。有一个时期，麻将竟成了西洋社会里最时髦的一种游戏：俱乐部里差不多桌桌都是麻将，书店里出了许多种研究麻将的小册子，中国留学生没有钱的可以靠教麻将吃饭挣钱。欧美人竟发了麻将狂热了。

谁也梦想不到东方文明征服西洋的先锋队却是那一百三十六个麻将军！

这回我从西伯利亚到欧洲，从欧洲到美洲，从美洲到日本，十个月之中，只有一次在日本京都的一个俱乐部里看见有人打麻将牌。在欧美简直看不见麻将了。我曾问过欧洲和美国的朋友，他们说：“妇女俱乐部里，偶然还可以看见一桌两桌打麻将的，但那是很少的事了。”我在美国人家里，也常看见麻将牌盒子——雕刻装潢很精致的——陈列在室内，有时一家竟有两三副的。但从不见主人主妇谈起麻将；他们从不向我这位麻将国的代表请教此中的玄妙！麻将在西洋已成了架上的古玩了；麻将的狂热已退凉了。

我问一个美国朋友，为什么麻将的狂热过去的这样快？他说：“女士太太们喜欢麻将，男子们却很反对，终于是男子们战胜了。”这是我们意想得到的。西洋的勤劳奋斗的民族决不会做麻将的信徒，决不会受麻将的征服。麻将只是我们这种好闲爱荡、不爱惜光阴的“精神文明”的中华民族的专利品。

当明朝晚年，民间盛行一种纸牌，名为“马吊”。马吊中有四十张牌，有一文至九文，一千至九千，一万至九万等，等于麻将牌的筒子，索子，万子。还有一张“零”，即是“白板”的祖宗。还有一张“千万”，即是徽州纸牌的“千万”。马吊牌上每张

上画有《水浒传》的人物。徽州纸牌上的“王英”即是矮脚虎王英的遗迹。乾隆嘉庆间人汪师韩的全集里收有几种明人的马吊牌（在《丛睦汪氏丛书》内）。

马吊在当日风行一时，士大夫整日整夜的打马吊，把正事都荒废了。所以明亡之后，吴梅村作《绥寇纪略》说，明之亡是亡于马吊。

三百年来，四十张的马吊逐渐演变，变成每样五张的纸牌，近七八十年中又变为每样四张的麻将牌。（马吊三人对一人，故名“马吊脚”，省称“马吊”；“麻将”称“麻雀”的音变，“麻雀”为“马脚”的音变。）越变越繁复巧妙了，所以更能迷惑人心，使国中的男男女女，无论富贵贫贱，不分日夜寒暑，把精力和光阴葬送在这一百三十六张牌上。

英国的“国戏”是Cricket，美国的国戏是Baseball，日本的国戏是角抵。中国呢？中国的国戏是麻将。

麻将平均每四圈费时约两点钟。少说一点，全国每日只有一百万桌麻将，每桌只打八圈，就得费四百万点钟，就是损失十六万七千日的光阴，金钱的输赢，精力的消磨，都还在外。

我们走遍世界，可曾看见那一个长进的民族，文明的国家，肯这样荒时废业的吗？一个留学日本的朋友对我说：“日本人的勤苦真不可及！到了晚上，登高一望，家家板屋里都是灯光；灯光之下，不是少年人跳着读书，便是老年人跪着翻书，或是老妇人跪着做活计。到了天明，满街上，满电车上都是上学去的儿童。单只这一点勤苦就可以征服我们了。”

其实何止日本？凡是长进的民族都是这样的。只有咱们这种不长进的民族以“闲”为幸福，以“消闲”为急务，男人以打麻将为消闲，女人以打麻将为家常，老太婆以打麻将为下半生的大事业！

从前的革新家说中国有三害：鸦片，八股，小脚。鸦片虽然没禁绝，总算是犯法的了。虽然还有做“洋八股”与更时髦的“党八股”的，但八股的四书文是过去的了。小脚也差不多没有

了。只有这第四害，麻将，还是日兴月盛，没有一点衰歇的样子，没有人说它是可以亡国的大害。新近麻将先生居然大摇大摆地跑到西洋去招摇一次，几乎做了鸦片与杨梅疮的还敬礼物。但如今它仍旧缩回来了，仍旧回来做东方精神文明的国家的国粹，国戏！

后记

《漫游的感想》本不止这六条，我预备写四五十条，作成一本游记。但我当时正在赶写《白话文学史》，忙不过来，便把游记搁下来了。现在我把这六条保存在这里，因为游记专书大概是写不成的了。

三
拾起生活中的小小祥和

人生最大的智慧，就是享受当前的这一刻才是唯一且真实的，其余的一切只是我们的想法和思绪罢了。

在离散之前，我要镌刻你的美丽

郁达夫

一

户外的萧索的秋雨，愈下愈大了。檐漏的滴声，好像送葬者的眼泪，尽在嗒啦嗒啦地滴。壁上的挂钟在一刻前，虽已经敲了九下，但这间一楼一底的屋内的空气，还同黎明一样，黝黑得闷人。时有一阵凉风吹来；后面窗外的一株梧桐树，被风摇撼，就渐渐沥沥地振下一阵枝上积雨的水滴声来。

本来是不大的楼下的前室里，因为中间乱堆了几只木箱子，愈加觉得狭小了。正当中的一张圆桌上也纵横排列了许多书籍，破新闻纸之类，在那里等待主人的整理。丁零零，后面的门铃一响，一个二十七八岁的非常消瘦的青年，走到这乱堆着行装的前室里来了。跟在他后面的一个三十内外的娘姨（女佣），一面倒茶，一面对他说：

“他们在楼上整理行李。”

那青年对她含了悲寂的微笑，点了一点头，就把一件雨衣脱下来，挂在壁上，且从木箱堆里，拿了一张可以折叠的椅子出来，放开坐了。娘姨回到后面厨房去之后，他呆呆地对那些木箱书籍看了一看，眼睛忽而红润了起来。轻轻地喀了一阵，他额上涨出了一条青筋，颊上涌现了两处红晕。从袋里拿出一块白手帕子来向嘴上揩了一揩，他又默默地坐了三五分钟。最后他拿出一枝纸烟来吸的时候，同时便面朝着二楼上叫了两声：

“海如！海如！邝！邝！”

铜铜铜铜的中间扶梯上响了一下，两个穿日本衣服的小孩，跑下来了，他们还没有走下扶梯，口中就用日本话高声叫着说：

“于伯伯！于伯伯！”

Sisley . 84

海如穿了一件玄色的作业服，慢慢跟在他的两个小孩的后面。两个小孩走近了姓于的青年坐着的地方，就各跳上他的腿上去坐，一个小一点的弟弟，用了不完全的日本话对姓于的说：

“爸爸和妈妈要回到很远很远的地方——去。”

海如也在木箱堆里拿出一张椅子来，坐定之后，就问姓于的说：

“质夫，你究竟上北京去呢，还是回浙江？”

于质夫两手抱着两个小孩举起头来回答说：

“北京糟得这个样子，便去也没有什么法子好想，我仍复决定了回浙江去。”

说着，他又咳了几声。

“季生上你那里去了么？”

海如又问他说。质夫摇了一摇头，回答说：

“没有，他说上什么地方去的？”

“他出去的时候，我托他去找你同到此地来吃中饭的。”

“我的同病者上哪里去了？”

“斯敬是和季生一块儿出去的。季生若不上你那里去，大约是替斯敬去寻房子去了罢！”

海如说到这里，他的从日本带来的夫人，手里抱了一个未满周岁的小孩。也走下了楼，参加人他们的谈话的团体之中。她看见两个大小孩都挤在质夫身上，便厉声地向大一点的叱着说：“倍媿，还不走开！”

把手里抱着的小孩交给了海如，她又对质夫说：

“剩下的日子，没有几日了，你也决定了么？”

“暖暖，我已经决定了回浙江去。”

“起行的日子已经决定之后，反而是想大家更在一块多住几日的呐！”

“可不是么，我们此后，总是会少离多。你们到了四川，大概是不会再出来了。我的病，经过冬天，又不知要起如何的变化。”

“你倒还好，霍君的病，比你更厉害哩，曾君为他去寻房子去了，不晓得寻得着寻不着？”

质夫和海如的夫人用了日本话在谈这些话的时候，海如抱了小孩，尽瞪着两眼，在向户外的雨丝呆看。

“启行的时候，要天晴才好哩！你们比不得我，这条路长得很呀！”

质夫又对邝夫人说。夫人眼看着衣外的雨脚，也拖了长声说：

“啊啊！这个雨真使人不耐烦！”

后门的门铃又响了，大家的视线，注视到从后面走到他们坐着的前室里来的户口去。走进来的是一个穿洋服的面色黝黑的绅士和一个背脊略驼的近视眼的穿罗须轧的青年。后者的面色消瘦青黄，一望而知为病人。见他们两个进来了，海如就问说：

“你们寻着了房子没有？”

他们同时回答说：

“寻着了！”

“寻着了！”

原来穿洋服的是曾季生，穿罗罢须轧的是霍斯敬。霍斯敬是从家里出来，想到日本去的，但在上海染了病，把路费用完，寄住在曾季生、邝海如的这间一楼一底的房子里。现在曾、邝两人受了压迫，不得不走了，所以寄住的霍斯敬，也就不得不另寻房子搬家。于质夫虽在另外的一个地方住，但他的住处，比曾、邝两人的还要可怜，并且他和曾、邝处于同一境遇之下，这一次的被迫，他虽说病重，要回家去养病，实际上他和曾、邝都有说不出的悲愤在内的。

二

曾、邝、于，都是在日本留学时候的先后的同学。三人的特性家境，虽则各不相同，然而他们的好义轻财，倾心文艺的性质，却彼此都是一样，因为他们所受的教育，比别人深了一点，所以他们对于世故人情，全不通晓。用了虚伪卑劣的手段，在社会上占得优胜的同时代者，他们都痛疾如仇。因此，他们所发的言论，就不得不动辄受人的攻击。一二年来，他们用了死力，振臂狂呼，想挽回颓风于万一，然而社会上的势利，真如草上之风，他们的拼命的奋斗的结果，不值得有钱有势的人一拳打。他们的杂志著作的发行者，起初是因他们有些可取的地方，所以请他们来，但看到了他们的去路已经塞尽，别无方法好想了，就也待他们苛刻起来。起先是供他们以零用，供他们以衣食住的，后来用了釜底抽薪的法子，把零用去了，衣食去了，现在连住的地方也生问题了。原来这一位发行业者的故乡，大旱大水的荒了两年，所以有一大批他的同乡来靠他为活。他平生是以孟尝君自命的人，自然要把曾、邝、于的三人和他的同乡的许多农工小吏，同排在食客之列，一视同仁地待遇他们。然而一个书籍发行业的收入，究竟有限，而荒年乡民的来投者漫无涯际。所以曾、邝、于三人的供给，就不得不一日一日地减缩下去。他们三人受了衣食住的节缩，身体都渐渐地衰弱起来了。到了无可奈何的现在，他们只好各往各的故乡奔。曾是湖南，邝是四川，于是浙江。

正当他们被逼得无可奈何想奔回故乡去的这时候，却来了一个他们的后辈霍斯敬。斯敬的家里，一贫如洗。这一回，他自东京回国来过暑假。半月前暑假期满出来再赴日本的时候，他把家里所有的财产全部卖了，只得了六十块钱作东渡的旅费。一个卖不了的年老的寡母，他把她寄在亲戚家里。偏是穷苦的人运气不好，斯敬到上海——他是于质夫的同乡——染了感冒，变成了肺尖加答儿。他的六十块钱的旅费，不消几日，就用完了，曾、邝、于与他同病相怜，四五日前因他在医院里用费浩大，所以就请他上那间一楼一底的屋里去同住。

然而曾、邝、于三人，为自家的生命计，都决定一同离开上海，动身已经有日期了。所以依他们为活，而又无家可归的霍斯敬，在他们启行之前，便不得不上别处去找一间房子来养病。

三

曾、邝、于、霍四个人和邝的夫人小孩们，在那间屋里，吃了午膳之后，雨还是落个不住。于质夫因为渐冷了，身上没有夹袄夹衣，所以就走出了那间一楼一底的屋，冒雨回到他住的那发行业者的堆栈里来，想睡到棉被里去取热。这堆栈正同难民的避难所一样，近来住满了那发行业者的同乡。于质夫因为怕与那许多人见面谈话，所以一到堆栈，就从书堆里幽脚幽手地摸上了楼，脱了雨衣，倒在被窝里睡了。他的上床本只为躺在棉被里取热的缘故，所以虽躺在被里，也终不能睡着。眼睛看着了屋顶，耳朵听听窗外的秋雨，他的心里，尽在一阵阵地酸上来。他的思想，就飞来飞去地在空中飞舞：

“我的养在故乡的小孩！现在你该长得大些了吧。我的寄住在岳家的女人，你不在恨我么？啊啊，真不愿意回到故乡去！但是这样的被人虐待，饿死在上海，也是不值得的。……”

风加紧了，灰腻的玻璃窗上横飘了一阵雨过来，质夫对窗上看了一眼，叹了一口气，仍复在继续他的默想：

“可怜的海如，你的儿子妻子如何地养呢？可怜的季生、斯敬，你们连儿女妻子都没有！啊啊！兼有你们两种可怜的，仍复是我自己。全家都在秋风里，九月衣裳未剪裁……茫茫来日愁如海，寄语素和快着鞭。……啊啊，黄仲则当时，还有一个毕秋帆，现在连半个毕秋帆也没有了！……今日爱才非昔日，莫抛心力作词人。……我去教书去吧！然而……教书的时候，也要卑鄙龌龊地去结成一党才行。我去拉车去吧！啊啊，这一双手，这一双只剩了一层皮一层骨头的手，哪里还拉得动呢？……咥咥，……咥咥，……咥咥咥咥暖吓……”

他咳了一阵，头脑倒空了一空，几秒钟后，他听见楼下有几个人在说：

“楼上的那位于先生，怎么还不走？他走了，我们也好宽敞些！”

他听了这一句话，一个人的脸上红了起来。楼下讲话的几个发行业者的亲戚，好像以为他还没有回来，所以在那里直吐心腹。又谁知不幸的他，却巧听见了这几句私语。他想作掩耳盗铃之计，想避去这一种公然的侮辱，只好装了自己是不在楼上的样子。可怜他现在喉咙头虽则痒得非常，却不得不死劲地忍住不咳出来了。忍了几分钟，一次一次的咳嗽，都被他压了下去。然而最后一阵咳嗽，无论如何，是压不下去了，反而同防水堤溃决了一样，他的屡次被压下去的咳嗽，一时发了出来。他大咳一场之后，面涨得通红，身体也觉得倦了。张着眼睛躺了一忽，他就沉沉地没入了睡乡。啊啊！这一次的入睡，他若是不再醒转来，那是何等的幸福呀！

四

第二天的早晨，秋雨晴了，雨后的天空，更加蓝得可爱，修整的马路上，被夜来的雨洗净了泥沙，虽则空中有呜呜的凉风吹着，地上却不飞起尘沙来。大约是午前十点钟光景，于质夫穿了一件夏布长衫，在马路上走向邝海如的地方去吃饭去。因为他住的堆栈里，平时不煮饭，大家饿了，就弄点麦食吃去。于质夫自小就娇养惯的，麦食怎么也吃不来。他的病，大半是因为这有一顿无一顿的饮食上来的，所以他宁愿跑几里路——他坐电车的钱也没有了——上邝海如那里去吃饭。并且邝与曾几日内就要走了，三人的聚首，以后也不见得再有机会，因此于质夫更想时刻不离开他们。

于质夫慢慢地走到了静安寺近边的邝、曾同住的地方，看见后门口有一乘黄包车停着。质夫开进了后门，走上堂前去的时候，只见邝、曾和邝夫人都呆呆地立在那里。两个小孩也不声不响的立在他们妈妈的边上。质夫闯进了这一幕静默的剧里与他们招呼了一招呼，也默默地呆住了。过了几分钟，楼上扑通扑通的霍斯敬提了一个藤筐走了下来。他走到了四人立着的地方，把藤筐摆了一摆，灰灰颓颓地对邝、曾等三人说：

“对不起，搅扰了你们许多天数，你们上船的时候，我再来送。分散之前，我们还要聚谈几回吧！”

说着把他的那双近视眼更瞅了一瞅，回转来向质夫说：

“你总还没有走吧！”

质夫含含糊糊地回答说：

“我什么时候都可以走的。大家走完了，我一个人还住在上海干什么？大约送他们上船之后，我就回去的。”

质夫说着用脸向邝、曾一指。

霍斯敬说了一声“失敬”，就俯了首慢慢地走上后门边的黄包车上，邝夫人因为下了眼泪，所以不送出去。其余的三人和小孩子都送他的车了出马路，到看不见了方才回来。回来之后，四人无言地坐了一忽，海如才幽幽地对质夫说：

“一个去了。啊啊！等我们上船之后，只剩了你从上海乘火车回家去，你不怕孤寂的么？还是你先走的好吧，我们人数多一点，好送你上车。”

质夫很沉郁地回答说：

“谁先走，准送谁倒没有什么问题，只是我们两年来的奋斗，却将等于零了。啊啊！想起来，真好像在这里做梦。我们初出季刊周报的时候，与现在一比，是何等的悬别！这一期季刊的稿子，趁他们还没有复印，去拿回来吧！”

邝海如又幽幽地回答说：

“我也在这样地想，周报上如何的登一个启事呢？”

“还要登什么启事，停了就算了。”

质夫愤愤地说。海如又接续说：

“不登启事，怕人家不晓得我们的苦楚，要说我们有头无尾。”

质夫索性自暴自弃的说：

“人家知道我们的苦楚，有什么用处？还再想出来弄季刊周报的复活么？”

只有曾季生听了这些话，却默默的不作一声，尽在那里摸脸上的瘰粒。

吃过午饭之后，他们又各说了许多空话，到后来大家出了眼泪才止。这一晚质夫终究没有回到那同牢狱似的堆栈里去睡。

五

曾、邝动身上船的前一日，天气阴闷，好像要下雨的样子。在静安寺近边的那间一楼一底的房子里，于午前十一时，就装了一桌鱼肉的供菜，摆在那张圆桌上。上首尸位里，叠着几岫丛书季刊，一捆周报和日刊纸。下面点着一双足斤的巨烛，曾、邝、于、霍四人，喝酒各喝得微醉，在那里展拜。海如拜将下去，叩了几个响头，大声地说：

“诗神请来受飨，我们因为意志不坚，不能以生命为牺牲，所以想各逃回各的故乡去保全身躯。但是艺术之神们哟，我们为你们而受的迫害也不少了。我们决没有厌弃你们的心思。世人都指斥我们是不要紧的，我们只要求你们能了解我们，能为我们说一句话，说‘他们对于艺术却是忠实的’。我们几个意志薄弱者，明天就要劳燕东西的分散了，再会不知还是在这地球之上呢？还是在死神之国？我们的共同的工作，对我们物质上虽没有丝毫的补益，但是精神上却把我们锻炼得同古代邪教徒那样的坚忍了。我们今天在离散之前，打算以我们自家的手把我们自家的工作来付之一炬，免得他年被不学无术的暴君来蹂躏。”

这几句话，因为了说的时候，非常严肃，弄得大家欲哭不能，欲笑不可。他们四人拜完之后，一大堆的丛书季刊周报日刊都在天井里烧毁了。有几片纸灰，飞上了空中，直达到屋檐上去。在火堆的四面默默站着的他们四个，只听见霍霍的火焰在那里。

一个人出去走走，就像旅行

郁达夫

自家除了己身以外，已经没有弟兄，没有邻人，没有朋友，没有社会了，自家在这世上，像这样的，已经成了一个孤独者了。……

然而当年的卢骚还有弃养在孤儿院内的五个儿子，而我自己哩，连一个抚育到五岁的儿子还抓不住！

离家的远别。本来也只为想养活妻儿。去年在某大学的被逐，是万料不到的事情。其后兵乱迭起，交通阻绝，当寒冬的十月，会病倒在沪上，也是谁也料想不到的。今年二月，好容易到得南方，归息了一年之半，谁知这刚养得出趣的龙儿，又会遭此凶疾呢？

龙儿的病报，本是广州得着，匆促北航，到了上海，接连接了几个北京来的电报，换船到天津，已经是旧历的五月初十。到家之夜，一见了门上的白纸条儿，心里已经是跳得慌乱，从苍茫的暮色里赶到哥哥家中，见了衰病的她，因为在大众之前，勉强将感情压住，草草吃了夜饭，上床就寝，把电灯一灭，两人只有紧抱地痛哭，痛哭，痛哭，只是痛哭，气也换不过来，更那里有说一句话的余裕？

受苦的时间，的确脱煞过去的太悠徐，今年的夏季，只是悲叹的连续。晚上上床，两口儿，哪敢提一句话？可怜这两个迷散的心灵，在电灯灭黑的幽暗里，所摸走的荒路，每会凑集在一条线上，这路的交叉点里，只有一块小小的墓碑，墓碑上只有“龙儿之墓”的四个红字。

妻儿因为在浙江老家内，不能和母亲同住，不得已，而搬往北京当时我在寄食的哥哥家去，是去年的四月中旬。那时候龙儿正长得肥满可爱，一举一动，处处教人欢喜。到了五月初，从某地回京，觉得哥哥家太狭小，就在什刹海的北岸，租定了一间渺小的住宅。夫妻两个，日日和龙儿伴乐，闲时也常在北海的荷花深处，及门前的杨柳中带龙儿去走走。这一年的暑假，总算过得最快乐，最闲适。

秋风吹叶落的时候，别了龙儿和女人，再上某地大学去为朋友帮忙，当时他们俩还往西车站去送我来哩！这是去年秋晚的事情，想起来还同昨日的情形一样。

过了一月，某地的学校里发生事情，又回京了一次，在什刹海小住了两星期，本来打算不再出京了，然碍于朋友的面子，又不得不于一天寒风刺骨的黄昏，上西车站去乘车。这时候因为怕龙儿要哭，自己和女人，吃过晚饭，便只说要往哥哥家里去，只许他送我们到门口。记得那一天晚上，他一个人和老妈子立在门口，等我们俩去了好远，还“爸爸！爸爸！”的叫了几声。啊啊，这几声的呼唤，便是我在这世上听到的他叫我的最后的声音。

出京之后，到某地住了一宵，就匆促逃往上海。接续便染了病，遇了强盗辈的争夺政权，其后赴南方暂住，一直到今年的五月，才返北京。

想起来，龙儿实在是一个填债的儿子，是当乱离困厄的这几年中间，特来安慰我和他娘的愁闷的使者！

自从他在安庆生落地以来，我自己没有一天脱离过苦闷，没有一处安住到五个月以上。我的女人，也和我分担当着十字架的重负，只是东西南北的奔波飘泊。然当日夜难安，悲苦得不了的时候，只教他的笑脸一开，女人和我就可以把一切穷愁，丢在脑后。而今年五月初十待我赶到北京的时候，他的尸体，早已在妙光阁的广谊园地下躺着了。

他的病，说是脑膜炎。自从得病之日起，一直到旧历端午节的午时绝命的时候止，中间经过有一个多月的光景。平时被我们宠坏了的他，听说此番病里，却乖顺得非常。叫他吃药，他就大口地吃，叫他用冰枕，他就很柔顺地躺上。病后还能说话的时候，只问他的娘，“爸爸几时回来？”“爸爸在上海为我定做的小皮鞋，已经做好了没有？”我的女人，于惑乱之余，每幽幽地问他：“龙！你晓得你这一场病，会不会死的？”他老是很不愿意地回答说：“那儿会死的哩？”据女人含泪地告诉我说，他的谈吐，绝不似一个五岁的小儿。

未病之前一个月的时候，有一天午后他在门口玩耍，看见西面来了一乘马车，马车里坐着一个戴灰白帽子的青年。他远远看见，就急忙丢下了伴侣，跑进屋里叫他娘出来，说“爸爸回来了，爸爸回来了”！因为我去年离京时所带的，是一样的一顶白灰呢帽。他娘跟他出来到门前，马车已经过去了，他就死劲地拉住了他娘，哭喊着说：“爸爸怎么不家来呀？爸爸怎么不家来呀？”他娘说慰了半天，他还尽是哭着，这也是他娘含泪和我说的。现在回想起来，自己实在不该抛弃了他们，一个人在外面流荡，致使那小小的灵心，常有望远思亲之痛。

去年六月，搬往什刹海之后，有一次我们在堤上散步，因为他看见了人家的汽车，硬是哭着要坐，被我痛打了一顿。又有一次，他是因为要穿洋服，受了我的毒打。这实在只能怪我做父亲的没有能力，不能做洋服给他穿。雇汽车给他坐，早知他要这样的早死，我就是典当强劫，也应该去弄一点钱来，满足他这点点无邪的欲望，到现在追想起来，实在觉得对他不起，实在是我太无容人之量了。

我女人说，濒死的前五天，在病院里，叫了几夜的爸爸。她问他“叫爸爸干什么？”他又不响了，停一会儿，就又再叫起来，到了旧历五月初三日，他已入了昏迷状态，医师替他抽骨髓，他只会直叫一声“干吗？”喉头的气管，咯咯在抽咽，眼睛只往上吊送，口头流些白沫，然而一口气总不肯断。他娘哭叫几声“龙！龙！”他的眼角上，就迸流下眼泪出来，后来他娘看他苦得难过，倒对他说：

“龙，你若是没有命的，就好好的去吧！你是不是想等爸爸回来，就是你爸爸回来，也不过是这样的替你医治罢了。龙！你有什么不了的心愿呢？龙！与其这样的抽咽受苦，你还不如快快的去吧！”

他听了这段话，眼角上眼泪，更是涌流得厉害。到了旧历端午节的午时，他竟等不着我的回来，终于断气了。

丧葬之后，女人搬往哥哥家里，暂住了几天。我于五月十日晚上，下车赶到什刹海的寓宅，打门打了半天，没有应声。后来抬头一看，才见了一张告示邮差送信的白纸条。

自从龙儿生病以后，连日连夜看护久已倦了的她，又哪里轻得起最后的这一个打击？自己当到京之夜，见了她的衰容，见了她的眼泪，又哪里能够不痛哭呢？

在哥哥家里小住了两三天，我因为想追求龙儿生前的遗迹，一定要女人和我仍复搬回什刹海的住宅去住它一两个月。

搬回去那天，一进上屋的门，就见了一张被他玩破的今年正月里的花灯。听说这张花灯，是南城大姨妈送他的，因为他自家烧破了一个窟窿，他还哭过好几次来的。

其次，便是上房里砖上的几堆烧纸钱的痕迹！系当他下殓时烧给他的。

院子有一架葡萄，两棵枣树，去年采取葡萄枣子的时候，他站在树下，兜起了大褂，仰头在看树上的我。我摘取一颗，丢入了他的大褂斗里，他的哄笑声，要继续到三五分钟，今年这两棵枣树结满了青青的枣子，风起的半夜里，老有熟极的枣子辞枝自落，女人和我，睡在床上，有时候且哭且谈，总要到更深人静，方能入睡。在这样的幽幽的谈话中间，最怕听的，就是滴答的坠枣之声。

到京的第二日，和女人去看他的坟墓。先在一家南纸铺里买了许多冥府的钞票，预备去烧送给他，直到到了妙光阁的广谊园茔地门前，她方从呜咽里清醒过来，说：“这是钞票，他一个小孩如何用得呢？”就又回车转来，到琉璃厂去买了些有孔的纸钱。他在坟前哭了一阵，把纸钱钞烧化的时候，却叫着说：

“龙！这一堆是钞票，你收在那里，待长大了的时候再用。要买什么，你先拿这一堆钱去用吧。”

这一天在他的坟上坐着，我们直到午后七点，太阳平西的时候，才回家来。临走的时候，他娘还哭叫着说：

“龙！龙！你一个人在这里不怕冷静的吗？龙！龙！人家若来欺你，你晚上来告诉娘罢！你怎么不想回来了呢？你怎么梦也不来托一个呢？”

箱子里，还有许多散放着的他的小衣服。今年北京的天气，到七月中旬，已经是很冷了。当微凉的早晚，我们俩都想换上几件夹衣，然而因为怕见他旧时的夹衣袍袜，我们俩却尽是一天一天地捱着，谁也不说出口来，说“要换上件夹衫”。

有一次和女人在那里睡午觉，她骤然从床上坐了起来，鞋也不脱，光着袜子，跑上了上房起坐室里，并且更掀席子跑上外面院子里去。我也莫名其妙跟着她跑到外面的时候，只见她在那里四面找寻什么。找寻不着，呆立了一会，她忽然放声哭了起来，并且抱住了我急急地追问说：“你听不听见？你听不听见？”哭完之后，她才告诉我说，在半醒半睡的中间，她听见‘娘！娘！’地叫了几声，的确是龙的声音，他很坚硬地说：‘的确是龙回来了。’”

北京的朋友亲戚，为安慰我们起见，今年夏天常请我们俩去吃饭听戏，她老不愿意和我同去，因为去年的六月，我们无论上哪里去玩，龙儿是常和我们在一处的。

今年的一个暑假，就是这样的，在悲叹和幻梦的中间消逝了。

这一回南方来催我就道的信，过于匆促，出发之前，我觉得还有一见大事情没有做了。

中秋节前新搬了家，为修理房屋，部署杂事，就忙了一个星期，又因了种种琐事，不能抽出空来，再上龙儿的墓地去探望一回。女人上东车站来送我上车的时候，我心里尽是酸一阵痛一阵地在回念这一件恨事。有好几次想和她说出来，教她于两三日后再往妙光阁去探望一趟，但见了她的憔悴尽的颜色，和苦忍住的凄楚，又终于一句话也没有讲成。

现在去北京远了，去龙儿更远了，自家只一个人，只是孤零丁的一个人。在这里继续此生中大约是完不了的漂泊。

Sisley · 74

窗子以外绽放的美丽

林徽因

话从哪里说起？等到你要说话，什么话都是那样渺茫地找不到个源头。

此刻，就在我眼帘底下坐着是四个乡下人的背影，一个头上包着黯黑的白布，两个褪色的蓝布，又一个光头。他们支起膝盖，半蹲半坐的，在溪沿的短墙上休息。每人手里一件简单的东西，一个是白木棒，一个篮子，那两个在树荫底下我看不清楚。无疑地他们已经走了许多路，再过一刻，抽完一筒旱烟以后，是还要走许多路的。兰花烟的香味频频随着微风，袭到我官觉上

来，模糊中还有几段山西梆子的声调，虽然他们坐的地方是在我廊子的铁纱窗以外。

铁纱窗以外，话可不就在这里了。永远是窗子以外，不是铁纱窗就是玻璃窗，总而言之，窗子以外！

所有的活动的颜色、声音、生的滋味，全在那里的，你并不是不能看到，只不过是永远地在你窗子以外罢了。多少百里的平原土地，多少区域的起伏的山峦，昨天由窗子外映进你的眼帘，那是多少生命日夜在活动着的所在；每一根青的什么麦黍，都有

Sisley

人流过汗；每一粒黄的什么米粟，都有人吃去；其间还有的是周折，是热闹，是紧张！可是你则并不一定能看见，因为那所有的周折，热闹，紧张，全都在你窗子以外展演着。

在家里罢，你坐在书房里，窗子以外的景物本就有限。那里两村马缨，几棵丁香；榆叶梅横出疯杈的一大枝；海棠因为缺乏阳光，每年只开个两三朵——叶子上满是虫蚁吃的创痕，还卷着一点焦黄的边；廊子幽秀地开着扇子式，六边形的格子窗，透过外院的日光，外院的杂音。什么送煤的来了，偶然你看到一个两个被煤炭染成黔黑的脸；什么米送到了，一个人掮着一大口袋在背上，慢慢踱过屏门；还有自来水、电灯、电话公司来收账的，胸口斜挂着皮口袋，手里推着一辆自行车；更有时厨子来个朋友了，满脸的笑容，“好呀，好呀！”地走进门房；什么赵妈的丈夫来拿钱了，那是每月一号一点都不差的，早来了你就听到两个人卿卿哝哝争吵的声浪。那里不是没有颜色，声音，生的一切活动，只是他们和你总隔个窗子，——扇子式的，六边形的，纱的，玻璃的！

你气闷了把笔一搁说，这叫作什么生活！你站起来，穿上不能算太贵的鞋袜，但这双鞋和袜的价钱也就比——想它做什么，反正有人每月的工资，一定只有这价钱的一半乃至于更少。你出去雇洋车了，拉车的嘴里所讨的价钱当然是要比例价高得多，难道你就傻子似地答应下来？不，不，三十二子，拉就拉，不拉，拉倒！心里也明白，如果真要充内行，你就该说，二十六子，拉就拉——但是你好意思争；车开始辗动了，世界仍然在你窗子以外。长长的一条胡同，一个个大门紧紧地关着。就是有开的，那也只是露出一角，隐约可以看到里面有南瓜棚子，底下一个女的，坐在小凳上缝缝做做的，另一个，抓住还不能走路的小孩子，伸出头来喊那过路卖白菜的。至于白菜是多少钱一斤，那你是听不见了，车子早已拉得老远，并且你也无需乎知道的。在你每月费用之中，伙食是一定占去若干的。在那一笔伙食费里，白菜又是多么小的一个数。难道你知道了门口卖的白菜多少钱一斤，你真把你哭丧着脸的厨子叫来申斥一顿，告诉他每一斤白菜他多开了你一个"大子儿"？

车越走越远了，前面正碰着粪车，立刻你拿出手绢来，皱着眉，把鼻子蒙得紧紧的，心里不知怨谁好。怨天做的事太古怪，好好的美丽的稻麦却需要粪来浇！怨乡下人太不怕臭，不怕脏，发明那么两个篮子，放在鼻前手车上，推着慢慢走！你怨市里行政人员不认真办事，如此脏臭不卫生的旧习不能改良，十余年来对这粪车难道真无办法？为着强烈的臭气隔着你窗子还不够远，因此你想到社会卫生事业如何还办不好。

路渐渐好起来，前面墙高高的是个大衙门。这里你简直不止隔个窗子，这一带高高的墙是不通风的。你不懂里面有多少办事员，办的都是什么事；多少浓眉大眼的，对着乡下人做买卖的哈喝诈取，多少个又是脸黄黄的可怜虫，混半碗饭分给一家子吃。自欺欺人，里面天天演的到底是什么把戏？但是如果里面真有两三个人拼了命在那里奋斗，为许多人争一点便利和公道，你也无从知道！

到了热闹的大街了，你仍然像在特别包厢里看戏一样，本身不会，也不必参加那出戏，倚在栏杆上，你在审美的领略，你有

的是一片闲暇。但是如果这里洋车夫问你在哪里下来，你会吃一惊，仓促不知所答。生活所最必需的你并不缺乏什么。你这出来就也是不必需的活动。

偶一抬头，看到街心和对街铺子前面那些人，他们都是急急忙忙地，在时间金钱的限制下采办他们生活所必需的。两个女人手忙脚乱地在监督着店里的伙计称秤。二斤四两，二斤四两的什么东西，且不必去管，反正由那两个女人的认真的神气上面看去，必是非同小可，性命交关的货物。并且如果称得少一点时，那两个女人为那点吃亏的分量必定感到重大的痛苦，如果称得多时，那伙计又知道这年头那损失在东家方面真不能算小。于是那两边的争持是热烈的，必需的，大家声音都高一点，女人脸上呈块红色，头发扯下了一绺，又用手抓上去；伙计则维持着客气，口里嚷着：错不了，错不了！

热烈的，必需的，在车马纷纭的街心里，忽然由你车边冲出来两个人，男的，女的，各各提起两脚快跑。这又是干什么的，你心想，电车正在拐大弯。那两人原就追着电车，由轨道旁边擦过去，一边追着，一边向电车上卖票的说话。电车是不容易赶的，你在洋车上真不禁替那街心里奔走赶车的担心。但是你也知道如果这趟没赶上，他就可以在街旁站个半点来钟，那些宁可望穿秋水不雇洋车的人，也就是因为他们的生活而必需计较和节省到洋车同电车价钱上那相差的数目。

此刻洋车跑得很快，你心里继续着疑问你出来的目的，到底采办一些什么必需的货物。眼看着男男女女挤在市场里面，门首出来一个进去一个，手里都是持着包包裹裹，里边虽然不会全是他们当日所必需的，但是如果当中夹着一盒稍微奢侈的物品，则亦必是他于生活中间闪着亮光的一个愉快！你不是听见那人说吗？里面草帽，一块八毛五，贵倒贵点，可是“真不赖”！他提一提帽盒向着打招呼的朋友，他摸一摸他那剃得光整的脑袋，微笑充满了他全个脸。那时那一点迸射着光闪的愉快，当然归属于他享受，没有一点疑问，因为天知道，这一年中他多少次地克己省俭，使他赚来这一次美满的，大胆的奢侈！

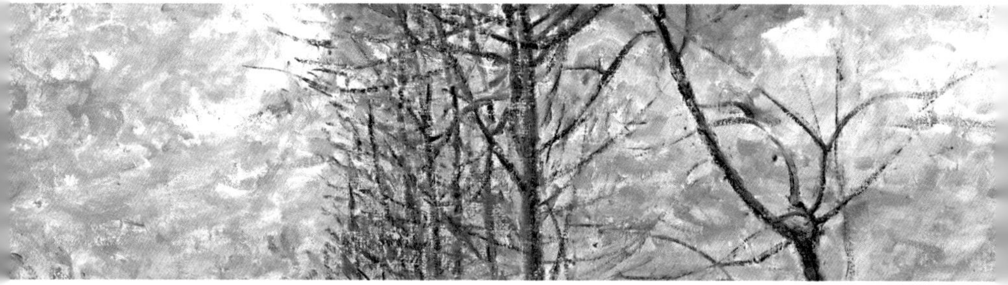

那点子奢侈在那人身上所发生的喜悦，在你身上却完全失掉作用，没有闪一星星亮光的希望！你想，整年整月你所花费的，和你那窗子以外的周围生活程度一比较，严格算来，可不都是非常靡费的用途？每奢侈一次，你心上只有多难过一次，所以车子经过的那些玻璃窗口，只有使你更惶恐，更空洞，更怀疑，前后彷徨不着边际。并且看了店里那些形形色色的货物，除非你真是傻子，难道不晓得它们多半是由那一国工厂里制造出来的！奢侈是不能给你愉快的，它只有要加增你的戒惧烦恼。每一尺好看点的纱料，每一件新鲜点的工艺品！

你诅咒着城市生活，不自然的城市生活检点行装说，走了，走了，这沉闷没有生气的生活，实在受不了，我要换个样子过活去，健康的旅行既可以看看山水古刹的名胜，又可以知道点内地淳朴的人情风俗。走了，走了，天气还不算太坏，就是走他一个月六礼拜也是值得的。

没想到不管你走到哪里，你永远免不了坐在窗子以内的。不错，许多时髦的学者常常骄傲地带上“考察”的神气，架上科学

的眼镜，偶然走到哪里一个陌生的地方嘹望，但那无形中的窗子是仍然存在的。不信，检查他们的行李。有谁不带着罐头食品，帆布床，以及别的证明你还在你窗子以内的种种零星用品，你再摸一摸他们的皮包，那里短不了有些钞票，一到一个地方——你有的是一个提梁的小小世界。不管你的窗子朝向哪里望，所看到的多半则仍是在你窗子以外，隔层玻璃，或是铁纱、隐隐约约你看到一些颜色，听到一些声音。如果你私下满足了，那也没有什么，只是千万别高兴起说什么接触了，认识了若干事物人情，天知道那是罪过！洋鬼子们的“些浅薄，千万学不得。

你是仍然坐在窗子以内的，不是火车的窗子，汽车的窗子，就是客栈道旅的窗子，再不然就是你自己无形中习惯的窗子，把你搁在里面。接触和认识实在谈不到，得天独厚的闲暇生活先不容你。一样是旅行，如果你背上掮的不是照相机而是一点做买卖的小血本，你就需要全副的精神来走路：你得留神投宿的地方，你得计算一路上每吃一次烧饼和几颗沙果的钱，遇着同行的战战兢兢地打招呼，互相捧出诚意，遇着困难时好互相关照帮忙，到了一个地方你是真带着整个血肉的身体到处碰运气，紧张的境遇不容你不奋斗，不与其他奋斗的血和肉的接触，直到经验使得你认识。

前日公共汽车里一列辛苦的脸，那些谈话，里面就有很多生活的分量。陕西过来做生意的老头和那旁坐的一股客气，是不得已的，由交城下车的客人执着红粉包纸烟递到汽车行管事手里也是有多少理由的，穿棉背心的老太婆默默地挟住一个蓝布包袱，一个钱包，是在用尽她的全副本领的，果然到了冀村，她错过站头，还亏别个客人替她要求车夫，将汽车退行两里路，她还不大相信地望着那村站，口里噜苏着这地方和上次如何两样了。开车的一面发牢骚一面爬到车顶替老太婆拿行李，经验使得他有种涵养，行旅中少不了有认不得路的老太太，这个道理全世界是一样

的，伦敦警察之所以特别和蔼，也是从迷路的老太太孩子们身上得来的。"说了这许多，你仍然在廊子底下坐着。窗外送来溪流的喧响，兰花烟气味早已消失，四个乡下人这时候当已到了上流"庆和义"磨坊前面。昨天那里磨坊的伙计很好笑地满脸挂着面粉，让你看着磨坊的构造；坊下的木轮，屋里旋转着的石碾，又在高低的院落里，来回看你所不经见的农具在日影下列着。院中一棵老槐、一丛鲜艳的杂花、一条曲曲折折引水的沟渠，伙计和气地说闲话。他用着山西口音，告诉你，那里一年可出五千多包的面粉，每包的价钱约略两块多钱。又说这十几年来，这一带因为山水忽然少了，磨坊关闭了多少家，外国人都把那些磨坊租去做他们避暑的别墅。惭愧的你说，你就是住在一个磨坊里面，他脸上堆起微笑，让面粉一星星在日光下映着，说认得认得，原来

你所租的磨坊主人，一个外国牧师，待这村子极和气，乡下人和他还都有好感情。

这真是难得了，并且好感的由来还有实证。就是那一天早上你无意中出去探古寻胜，这一省山明水秀，古刹寺院，动不动就是宋辽的原物，走到山上一个小村的关帝庙里，看到一个铁铎，刻着万历年号，原来是万历赐这村里庆成圣的后人的，不知怎样流落到卖古董的手里。七年前让这牧师买去，晚上打着玩，嘹亮的钟声被村人听到，急忙赶来打喊要凑原价买回，情辞恳切。说起这是他们吕姓的祖传宝物，决不能让它流落出境，这牧师于是真个把铁铎还了他们，从此便在关帝庙神前供着。

这样一来你的窗子前面便展开了一张浪漫的图画，打动了你的好奇，管它是隔一层或两层窗子，你也忍不住要打听点底细，怎么明庆成王的后人会姓吕！这下子文章便长了。

如果你的祖宗是皇帝的嫡亲弟弟，你是不会，也不愿，忘掉的。据说庆成王是永乐的弟弟，这赵庄村里的人都是他的后代。不过就是因为他们记得太清楚了，另一朝的皇帝都有些老大不放心，雍正间诏命他们改姓，由姓朱改为姓吕，但是他们还有用二十字排行的方法，使得他们不会弄错他们是这一脉子孙。

这样一来你就有点心跳了，昨天你雇来那打水洗衣服的不也是赵庄村来的，并且还姓吕！果然那土头土脑圆脸大眼的少年是个皇裔贵族，真是有失尊敬了。那么这村子一定穷不了，但事实上则不见得。

田亩一片，年年收成也不坏。家家户户门口有特种围墙，像个小小堡垒——当时防匪用的。屋子里面有大漆衣柜衣箱，柜门上白铜擦得亮亮；炕上棉被红红绿绿也颇鲜艳。可是据说关帝庙里已有四年没有唱戏了，虽然戏台还高巍巍地对着正殿。村子这几年穷了，有一位王孙告诉你，唱戏太花钱，尤其是上边使钱。这里到底是隔个窗子，你不懂了，一样年年好收成，为什么这几年村子穷了，只模模糊糊听到什么军队驻了三年多等，更不懂是，村子向上一年辛苦后的娱乐，关帝庙里唱唱戏，得上面使钱？既然隔个窗子听不明白，你就通气点别尽管问了。

隔着一个窗子你还想明白多少事？昨天雇来吕处倒水，今天又学洋鬼子东逛西逛，跑到下面养有鸡羊，上面挂有武魁匾额的人家，让他们用你不懂得的乡音招呼你吃菜，炕上坐，坐了半天到门口，和那送客的女人周旋客气了一回，才恍然大悟，她就是替你倒脏水洗衣裳的吕姓王孙的妈，前晚上还送饼到你家来过！

这里你迷糊了。算了算了！你简直老老实实地坐在你窗子里得了，窗子以外的事，你看了多少也是枉然，大半你是不明白，也不会明白的。

那片阳光美得那么动人

林徽因

放了假，春初的日子松弛下来。将午未午时候的阳光，澄黄的一片，由窗棂横浸到室内，晶莹地四处射。我有点发怔，习惯地在沉寂中惊讶我的周围。我望着太阳那湛明的体质，像要辨别它那交织绚烂的色泽，追逐它那不着痕迹的流动。看它洁净地映到书桌上时，我感到桌面上平铺着一种恬静，一种精神上的豪兴，情趣上的闲逸；即或所谓“窗明几净”，那里默守着神秘的期待，漾开诗的气氛。那种静，在静里似可听到那一处淙淙的泉流，和着仿佛是断续的琴声，低诉着一个幽独者自娱的音调。看到这同一片阳光射到地上时，我感到地面上花影浮动，暗香吹拂左右，人随着晌午的光霭花气在变幻，那种动，柔谐婉转有如无声音乐，令人悠然轻快，不自觉地脱落伤愁。至多，在舒扬理智的客观里使我偶一回头，看看过去幼年记忆步履所留的残迹，有点儿惋惜时间；微微怪时间不能保存情绪，保存那一切情绪所曾流连的境界。

倚在软椅上不但奢侈，也许更是一种过失，有闲的过失。但东坡的辩护：“懒者常似静，静岂懒者徒”，不是没有道理。如果此刻不倚榻上而“静”，则方才情绪所兜的小小圈子便无条件地失落了去！人家就不可惜它，自己却实在不能不感到这种亲密的损失的可哀。

就说它是情绪上的小小旅行吧，不走并无不可，不过走走未始不是更好。归根说，我们活在这世上到底最珍惜一些什么？果真珍惜万物之灵的人的活动所产生的种种，所谓人类文化？这人类文化到底又靠一些什么？我们怀疑或许就是人身上那一撮精神同机体的感觉，生理心理所共起的情感，所激发出的一串行为，所聚敛的一点智慧——那么一点点人之所以为人的表现。宇宙万物客观的本无所可珍惜，反映在人性上的山川草木禽兽才开始有了秀丽，有了气质，有了灵犀。反映在人性上的人自己更不用说。没有人的感觉，人的情感，即便有自然，也就没有自然的美，质或神方面更无所谓人的智慧，人的创造，人的一切生活艺术的表现！这样说来，谁该鄙弃自己感觉上的小小旅行？为壮壮自己胆子，我们更该相信惟其人类有这类情绪的驰骋，实际的世间才赓续着产生我们精神所寄托的文物精粹。

此刻我竟可以微微一咳嗽，乃至于用播音的圆润口调说：我们既然无疑地珍惜文化，即尊重盘古到今种种的艺术——无论是抽象的思想的艺术，或是具体的驾驭天然材料另创的非天然形象——则对于艺术所由来的渊源，那点点人的感觉，人的情感智慧（通称人的情绪），又当如何地珍惜才算合理？

但是情绪的驰骋，显然不是诗或画或任何其他艺术建造的完成。这驰骋此刻虽占了自己生活的若干时间，却并不在空间里占任何一个小小位置！这个情形自己需完全明了。此刻它仅是一种无踪迹的流动，并无栖身的形体。它或含有各种或可捉摸的质素，但是好奇地探讨这个质素而具体要表现它的差事，无论其有无意义，除却本人外，别人是无能为力的。我此刻为着一片清婉可喜的阳光，分明自己在对内心交流变化的各种联想发生一种兴趣的注意，换句话说，这好奇与兴趣的注意已是我此刻生活的活动。一种力量又迫着我来把握住这个活动，而设法表现它，这不易抑制的冲动，或即所谓艺术冲动也未可知！只记得冷静的杜工部散散步，看看花，也不免会有“江上被花恼不彻，无处告诉只癫狂”的情绪上一片紊乱！玲珑煦暖的阳光照人面前，那美的感人力量就不减于花，不容我生硬地自己把情绪分划为有闲与实际的两种，而权其轻重，然后再决定取舍的。我也只有情绪上的一片紊乱。

情绪的旅行本偶然的事，今天一开头并为着这片春初晌午的阳光，现在也还是为着它。房间内有两种豪侈的光常叫我的心绪紧张如同花开，趁着感觉的微风，深浅零乱于冷智的枝叶中间。一种是烛光，高高的台座，长垂的烛泪，熊熊红焰当帘幕四下时各处光影掩映。那种闪烁明艳，雅有古意，明明是画中景象，却含有更多诗的成分。另一种便是这初春晌午的阳光，到时候有意无意的大片子洒落满室，那些窗棂栏板几案笔砚浴在光蔼中，一时全成了静物图案；再有红蕊细枝点缀几处，室内更是轻香浮溢，叫人俯仰全触到一种灵性。

这种说法怕有点会发生误会，我并不说这片阳光射入室内，需要笔砚花香那些儒雅的托衬才能动人，我的意思倒是：室内顶寻常的一些供设，只要一片阳光这样又幽闲又洒脱地落在上面，一切都会带上另一种动人的气息。

这里要说到我最初认识的一片阳光。那年我六岁，记得是刚刚出了水珠以后——水珠即寻常水痘，不过我家乡的话叫它做水珠。

当时我很喜欢那美丽的名字，忘却它是一种病，因而也觉到一种神秘的骄傲。只要人过我窗口问问出“水珠”吗？我就感到一种荣耀。那个感觉至今还印在脑子里。也为这个缘故，我还记得病中奢侈的愉悦心境。虽然同其他多次的害病一样，那次我仍然是孤独地被囚禁在一间房屋里休养的。那是我们老宅子里最后的一进房子；白粉墙围着小小院子，北面一排三间，当中夹着一个开敞的厅堂。我病在东头娘的卧室里。西头是婶婶的住房。娘同婶永远要在祖母的前院里行使她们女人们的职务的，于是我常是这三间房屋惟一留守的主人。

在那三间屋子里病着，那经验是难堪的。时间过得特别慢，尤其是在日中毫无睡意的时候。起初，我仅集注我的听觉在各种似脚步，又不似脚步的上面。猜想着，等候着，希望着人来。间或听听隔墙各种琐碎的声音，由墙基底下传达出来又消敛了去。过一会儿，我就不耐烦了——不记得是怎样的，我就趿着鞋，挨着木床走到房门边。房门向着厅堂斜斜地开着一扇，我便扶着门框好奇地向外探望。

那时大概刚是午后两点钟光景，一张刚开过饭的八仙桌，异常寂寞地立在当中。桌下一片由厅口处射进来的阳光，泄泄融融地倒在那里。一个绝对悄寂的周围伴着这一片无声的金色的晶莹，不知为什么，忽使我六岁孩子的心里起了一次极不平常的振荡。

那里并没有几案花香，美术的布置，只是一张极寻常的八仙桌。如果我的记忆没有错，那上面在不多时间以前，是刚陈列过咸鱼、酱菜一类极寻常俭朴的午餐的。小孩子的心却呆了。或许两只眼睛倒张大一点，四处地望，似乎在寻觅一个问题的答案。为什么那片阳光美得那样动人？我记得我爬到房内窗前的桌子上坐着，有意无意地望望窗外，院里粉墙疏影同室内那片金色和煦决然不同趣味。顺便我翻开手边娘梳妆用的旧式镜箱，又上下摇动那小排状抽屉，同那刻成花篮形小铜坠子，不时听雀跃过枝清脆的鸟语。心里却仍为那片阳光隐着一片模糊的疑问。

时间经过二十多年，直到今天，又是这样一泄阳光，一片不可捉摸，不可思议流动的而又恬静的瑰宝，我才明白我那问题是永远没有答案的。事实上仅是如此：一张孤独的桌，一角寂寞的厅堂。一只灵巧的镜箱，或窗外断续的鸟语，和水珠——那美丽小孩子的病名——便凑巧永远同初春静沉的阳光整整复斜斜地成了我回忆中极自然的联想。

遇见冬日里的阳光与阴霾

梭罗

微风轻拂，吹过百叶窗，轻柔如羽毛。偶尔，它也像几声叹息，我不禁想起夏日里漫漫长夜里风儿轻抚树叶的声音。草地上，田鼠正在地洞里舒适地睡着，猫头鹰在沼泽地深处的一个空心树里蹲着，兔子、松鼠、狐狸都躲在家里安居。看门的狗在暖炉旁静静躺着，牛羊在栏圈里无声地站着。就连大地都在沉睡，但这不是死亡，而是辛苦一年来首次安然入睡。时值半夜，大自然仍在忙碌不停，但只有街上的商店招牌和木屋的门，隐约在嘎吱作响，给寂寥的大自然增添一些慰藉。茫茫宇宙，唯有此音，预示着在金星和火星之间，天地万物还没有完全入睡。给我们一种似远又近的温暖，以及神圣的欢欣和难得的深情，但这种境界在天神们互相往来时才有领略，凡人往往耐不住这荒凉。大地酣睡时，空气仍活跃，鹅毛大雪纷纷落下，仿佛北方的五谷女神，正向田地里撒下银色的种子。

我们也入睡了。一觉醒来，正是冬天的早晨，万籁俱寂。

雪下得很大，窗棂上好似铺了温暖的棉花，窗格子显得宽了，玻璃上结了冰纹，光线暗淡而神秘，室内变得温馨舒适。早晨的宁静，让人难忘。走向窗口，木板在脚下咯吱作响，透过一处没被冰霜封住的地方，眺望远处的田野；屋顶被白雪覆盖,屋檐下、篱笆上都累累地挂满像钟乳石一样的雪条；院里立起很多像石笋似的雪柱，雪柱里是否蕴藏着什么东西？没人知道。树木的白色枝干，四处伸展，指向天空。墙壁、篱笆，形态奇妙，在昏暗的大地上，它们跳跃着，向左右延伸……似乎在一夜之间，大自然就把田野风光重新做了设计，以让人类的艺术家临摹。

悄悄拔去门闩，雪花飘然而入。走到屋外，寒风扑面，刺骨激髓。星星有些黯淡无光，地平线上笼罩了一层阴沉朦胧的薄雾。东方出现一束古铜色的光，预示天要亮了。然而，西方天空的景色，仍然模糊，一片幽暗，无声无息，影影幢幢，非比人间。传到耳边的声音，有点阴森可怕。鸡鸣犬吠，木柴的砍劈声，牛群的低鸣声……一切好像，好像阴阳河对岸冥王的农场里发出的声音。不是说这些声音凄凉,只因天色未明，所以听来很神秘可怕些,不似人间。院子里的雪地上，狐狸和水獭所留下的足迹是新的，这些提醒我们：即使是在冬夜最寂静的时候，自然界的生物都时刻在活动着。它们在雪上留下足迹。打开大门，迈着轻快的步伐，踏上僻静的乡村小路。雪又干又脆，脚踏上去发出破碎的声音。早起的农夫，驾了雪橇，到远处的市场赶早市。这辆雪橇，整个夏天都在农夫的门口闲置，与木屑稻梗为伍，此刻它却有了用武之地。它那尖锐、清晰、刺耳的声音，对于早起赶路的人，起到提神醒脑的作用。透过堆满积雪的农舍窗户，可以看见农夫点起蜡烛，像一颗暗淡的星，散发出孤寂的光，好像某种简朴的美德在作晨祷。接着，树际和雪堆之间，炊烟袅袅升起。

大地冰封，农夫劈柴声，鸡鸣狗吠声，阵阵入耳。稀薄干冷的空气，只能把那些尖锐的声音传入我们的耳中，短促而悦耳，像至清至轻的流体，波动很少，因为里面的晶体硬块很快沉到底下去了。地平线远处传来的声音，清晰响亮，像是钟声的。冬天空气清明，不像夏天那样的多杂质阻碍，因此声音听起来，也不像夏天那样毛糙模糊。脚下冰封的土地，铿锵有声，像叩坚硬的古木。即便是平凡的乡村声音，此刻听来都那么悦耳。树上的冰条，互相撞击，声音如流水，似音乐。大气里面一点水分也没有，水蒸气不是干化，就是凝结成了霜，空气十分稀薄而有弹性，人呼吸其中，感到心旷神怡。天似乎绷紧了，往后收缩，向上望去，感觉置身于大教堂中，顶上是一块块弧状的屋顶。空气中闪光点点，好像有冰晶沉浮在中间。据在格陵兰住过的人告诉我，结冰时，“海就冒烟，正如大火燎原，雾气升腾，称为烟雾。这种烟雾有害健康，会使人的手和脸生疮肿胀”。这的空气，虽然寒冷刺骨，但质地清纯，可提神清脑清肺。不要把它当成冻霜，而应把它看作夏天雾气的结晶，经过冬天的洗涤，变得更加纯净了。

到了冬天，大自然更像一个橱窗，装满各种干枯的标本。按照它们各自生长的规律和次序，安排得井然有序。草原和树林，成了一座植物标本馆。在空气的压力下，不需要用螺丝钉或胶水来固定。树叶和野草，保持着完美的形态。鸟巢，并没有建在人工的树枝上，虽然它们已枯萎，但那也是真树。

闲逛时，乌云密布，雪花纷纷落下，越下越大，远处的景色，渐渐从视野中消失了。雪花落在每一棵树上，每一寸土地，无孔不入，其足迹遍布河流、湖畔、小山和山谷。

在这个平和的时刻，四脚动物们都躲藏起来，小鸟在巢中休息，周围一片寂静。但是，渐渐地，山坡、灰墙和篱笆、光亮的冰，以及枯叶，本未被埋住的，现在都被白雪覆盖，人和动物，都销声匿迹了。大自然，不费丝毫力量，又重申了它的规则，把人类行为的痕迹抹擦得干干净净。让我们听听荷马的描述：

冬天里，雪花飘落，厚重快速。风渐渐平息，雪仍下个不停，覆盖了山顶和山丘，覆盖了长着酸枣树的平原和耕地。它也会落到波澜壮阔的海湾海岸，但又悄悄地被海浪吞噬。”

白雪覆盖所有景物，把它们深深裹在大自然的怀抱，像夏季里某些植物的藤，爬上寺庙檐和堡垒的角楼，征服了人类的艺术品。

生活如此绝望，每个人却都兴高采烈地活着

梭罗

亲爱的读者，我想对你说一些事情。既然你是我的读者，我也不再是一个旅行者，我就不再讲千里之外的人们，我还是说说你我身边的事吧。由于时间关系，我就不说什么恭维话了，直接说出我的观点。

让我们想想，我们每天都是怎么度过的？

这是个充满交易的世界，忙碌不停。几乎每晚，我都会被机车的隆隆声吵醒，扰乱了我的清梦，让我永无安息的日子。人们好好休息一次，成为无上荣幸的事。人们除了工作，还是工作、工作。我都很难买到一本空白本子，以写下我的思想了，它们全被美元和美分占领。一个爱尔兰人看见我在地里发了一分钟的呆，就认为我是在计算工资。倘若一个人在婴儿时被扔出窗外，因此一生跛足，或是被印第安人吓得魂飞魄散，那么他唯一的遗憾，就是丧失了打拼事业的能力。我以为，没有什么，哪怕是犯罪，比永无休止的工作更能与诗歌、哲学，

以及生活背道而驰了。

在我们小镇的郊区，有一个粗俗暴躁、只知道揽财的人，他打算在山下沿着牧场的边缘建起一圈围墙。这个念头促使他去做恶，他希望我能花3个星期陪他挖地基。这样做，他也许能得到更多的钱，去支付膳宿费并且留给子孙后代。如果我帮了他，大多数人会称赞我勤快，但如果我做某些赚钱虽少但真正有意义的劳动，他们就视我为懒汉。不过，我不想受这没意义的劳动的束缚，也不需要得到来自工作，或者来自政府企业的赞扬。我不想为了愉悦他们，而失去了自己的快乐。还有，我不想只待在一个学校，我宁愿在不同的学校受教育。

如果一个人因为喜欢山林而每天在那里散步，他就会被人指责为懒汉。但如果他作为一个投机商在砍伐森林、剥光土地这种事上度过一天，他就会被称赞勤劳上进。似乎城镇并不需要森林，所以不在乎砍掉它。

如果有人雇你做这种事：把石块从墙内扔到墙外，再从墙外扔回来，以此获得工资，那么大多数人感到受了侮辱。但确实，很多人在受雇时都难得到尊敬了。比如：在一个夏日的清晨，太阳刚刚升起，我看到一个邻居走在他的牲口旁，它们正慢慢地拉动车轴底下转动的笨重凿石。周围笼罩着一种工业的气氛。一天的工作开始了，他的额头渗出汗珠，嘴里咒骂着所有游手好闲的懒鬼，拍拍并排走的牛的肩膀，半转过身，称赞手中仁慈的皮鞭，在他手里，这些鞭子物尽其用。

我想，这就是美国国会要保护的劳动：诚实、辛勤，诚实如白昼之长，这使面包香甜，使社会保持和谐，所有人都相互敬重，乐于奉献，只需要这一支圣队去做必要而烦人的工作。而我感到有些羞耻——因为我从窗里看着这一切，并没出去做这些工作。一天结束了，晚上，我经过另一个邻居的院子，他有很多仆人，他随意挥霍金钱。他并没有为普通股作什么贡献，在那儿我看到了早上的石头，它躺在一个古怪建筑的旁边，装饰着蒂莫西·德克斯特勋爵的房屋。在我看来，赶畜人的劳动瞬间失去了尊严。我以为，发光的太阳比他更辛苦。或许说，他的雇主已经跑了，欠了镇里好多账，在衡平法院传唤之后，已经移居别处，在那里又成了一个艺人赞助商。

获取金钱的方法，几乎都会让人堕落。不择手段地赚钱，只会让人活得空虚甚至更糟糕。如果一个员工，除了工资以外，什么也得不到，那他就是被骗了，他自己也在自欺欺人。倘若你想以作家或演讲家的名义赚钱，那么，你必须先使自己受欢迎，而这是赤裸裸的堕落。社会上那些乐意支付给你工资的服务，其实是最不愿提供报酬的职业。你得到的报酬总是比别人少。这个国家，已不再明智地奖励天才了。即使是桂冠诗人，也不愿去参加皇室的活动。必须先贿赂他一大桶酒，也许另一个诗人也得从他的缪斯身边召来，去测量那个超大号的酒桶。

说到我的工作，纵使我用最大的热情去测量，我的雇主也不会满意，他们反而会说我的工作劣质粗糙，还不够好。当我发现另外一种不同的测量方法时，那些雇主就纷纷问我，哪种方法可让他们得到最多的土地，而并不问我哪种方法是最正确的。我曾经发明了一种测量堆积木的规则，想把它引进到波士顿，但那里的测量员告诉我，那些卖家并不想精确地测量木头。

劳动者的目标，不该只是为了活着，或是为得到一份“好差事”，而是如何出色地完成某项工作。从金钱的角度讲，这也会使城镇合理地支付劳动报酬，让人们就觉得，单就生计方面讲，他们不是在向低处走，而是走向更科学，甚至更道德的发展方向。不要雇佣那些只为了钱而为你工作的人，而应该雇佣那些真正热爱这份工作的人。

但值得注意的是，很少有人被这样雇佣，有点思想的人，用一点钱，或是名利，就足以把他们买下，使他们从当下的追求中坠落。我看过给年轻人拍的广告，似乎只有青春活力是年轻人的资本。我还惊讶，有人居然很有信心地推荐我去他那里工作，他是个成熟的男人，事业有成，好像在他看来，在此之前我什么都没做，到现在为止，我的生活已经彻底失败一样。这是对我有质疑的讨好啊。就好像他在乘风破浪没有阻力地穿越大洋的途中，遇见我，极力让我和他一起走。如果我答应了，你认为那些承销商会怎么说？不，在这段航程中，我不是没有工作。老实说，当我还是个小男孩，在我家乡的港口闲逛时，就看到过招聘熟练水手的广告，一到可以当船员的年龄，我就来了。

在社会上，没有一件贿赂可以诱惑那些有智慧的人。你可以筹集足够的钱在山上开凿隧道，但你永远筹不到足够的钱，去雇佣一个专注于自己事业的人。有能力有价值的人，会做他自己能做的事情，无论有无回报；无能的人将他们的低能贡献给买家，并满怀期望能坐到办公室。可以想见，他们必定会失望。

也许，我比一般人更在乎自己的自由。我以为，自己和社会的关系微弱而短暂。那些足以维持我生计，让我感到对别人有价值的简单而轻微的劳动，对我来说更有吸引力，也是我的一种乐趣。并没人提醒我，那些劳动是必须要做的。到目前为止，我很成功。但是我可预见，如果我的欲望增加，满足欲望的劳动将会变成苦差事。如果我把自己的上午和下午全都出卖给社会，像大多数人那样，我敢肯定我活着就没什么意义。我坚信，我一定不会将自己与生俱来的权利出卖给眼前的蝇头小利。我想告诉大家的是，一个人可以既勤劳也不浪费时间。没有比在养家糊口上浪费生命的大部分时间的人更愚蠢了。所有伟大的企业家都很自立。

比如，诗人以诗歌养活自己，就像一台蒸汽滑行机，要用自己生产的木屑填充锅炉一样。你必须用爱而活。但正如商人所说，100次中会有98次失败，以此为标准，人们的生活多是失败的，破产也在意料之中。

一个人来到这个世界，如果只是为了当财产继承人，那么他还不如不出生。慈善机构和政府养老金的支持，使你能继续活着，说到底，也只是靠救济院生活罢了。周日，贫穷的债务人来到教堂，算算口袋里的钱，一定会发现自己又入不敷出了。尤其是在天主教堂里，他们走进衡平法院，做一个深刻的忏悔，放下所有包袱，想着东山再起。人们总是只仰面朝天，嘴里谈论着失败，却从来不想着努力爬起来。

人们为自己的生活制定了不同层次的要求，大体有这两种：一种是满足于取得和别人同一层次的成功，但这种成就往往会被迎面而来的挫折击败；另一种是无论生活有多少低潮和失败，都会不断提高自己的目标，即便他的目标是异想天开。当然，我选

择成为后者，虽然东方人说：“伟大永远不会垂青于那些不求上进的人，眼高手低的人总处于贫穷当中。”

需要指出，说到谋生时，没什么值得大书特书的。怎样谋生，不仅是诚实光荣的事，而且是独具魅力的事。因为如果不是这样，就没有必要活着了。也许有人认为，通过阅读名著，某个问题就不必一个人苦思冥想了。人们是否讨厌说出自己的经历？金钱教给我们的珍贵一课，就是：我们总是倾向于全盘忽略。关于谋生的手段，我很惊奇，各阶层的人都在思考这件事，甚至那些所谓的改革家，无论继承、赚取，还是抢劫。我认为，在这方面，社会什么也没为我们做，至少它没有做他能做的事。

这个标题的明智在于，在大多数情况下会被误用。倘若一个人不知道如何比他人过得更好，他怎么成为一个明智的人？倘若他只是更奸诈狡猾呢？一份蹬车轮的工作，智慧还有用吗？或者说，智慧只是在以自己为榜样，教大家怎样成功？有没有这样一种东西，它像智慧但不适用于人们的生活，她只是磨碎最强逻辑

的磨坊主？就像问柏拉图，他是否比同时代的人过得更好更成功，因为他的姑姑在遗嘱里提到了他？多数人谋生的方法是：活着。但这只是权宜之计，是对生命真谛的逃避。主要因为是他们不知道人生的真谛，部分原因是他们不想知道得更合理些。

比如，加州的淘金热，不仅商人，连那些和淘金有关的哲学家和先知们，也持此态度，从而反映出人类最大的耻辱。这么多人，都想靠碰运气生存，以此来获得命令倒霉蛋劳动的地位，而无需对社会有任何贡献。这就是企业。没有比不道德的交易，更让人产生吃惊的发展了，而这恰恰是谋生所用的惯用伎俩。这种人的哲学、诗歌和信仰，连尘菌上的尘土都不值。那些靠寄生、煽动国家生存的贪婪者们，最终会为自己的行径感到羞愧。如果我动动手指，就能调遣世界上的所有财富，我不会为此付出如此大的代价。甚至穆罕默德也知道，上帝不是随便创造世界的。上帝就像一位有钱的绅士，撒下一把钱，就是为了看看人类怎么抢夺它们。这是怎样的一个时代啊，多么讽刺，就在我们的制度下

产生的，它的结论是：人类将会在树上自缢而死。

《圣经》上的戒律，就教会了我们这个吗？人类最新最伟大的发明，就只是一个改良的粪耙吗？这就是东方人和西方人相会的陆地吗？上帝是这样管理我们，为了谋生，就去挖从未种植过的土地，以此谋生吗？而且，他为此还可能奖励我们金子吗？

上帝赐给正直的人一个证书，使之有权得到食物和衣服。但邪恶的人，在上帝的金库中发现了同一个摹本，于是顺手牵羊，像正直的人那样，得到了食物和衣服，于是产生了这个世界最庞大的伪造系统。因为对黄金的渴望，人类已经遭受了多少痛苦？我知道，金子的延展性很强，但比不上智慧的弹性；一粒金子能给物体镀上一层漂亮的表皮，但它不如智慧带给人的光辉。

山谷里的淘金者，多得像旧金山酒吧里的赌徒。摇晃泥土和掷筛子，有什么不同吗？如果你赢了，社会就失败了。无论有什么支票和报酬，淘金者都是诚实的劳动者的敌人。你告诉我，努力工作但得到黄金还远远不够。魔王努力工作也是如此。违规者的道路，在很多方面也许很艰难。去矿山的谦卑的观察者看了说：淘金和中彩票其实性质一样，以此得到的黄金，和通过诚实劳动得到的工资不一样。但实际上他已忘记自己看到的东西了——他只看到事实，但没看到本质，而且那里有交易产生了。他以为只是买了一张能验证另一张彩票的票，事实没那么简单。

一天下午，看完休伊特在澳大利亚淘金的描述后，一晚上，我的脑海浮现无数的山谷，溪流侵蚀着污秽的棱角，这些山谷深达10英尺到100英尺，宽则6英尺，窄的可以进行挖掘，部分地方有水。这就是人们狂热奔去试探命运的地方。不确定在什么地

点破土动工，但金子就在帐篷底下。有时在找到矿脉之前，要挖160英尺，或许离开一英尺就会错过。财富的渴望下，人们变成了恶魔，不顾他人的利益。整个山谷，30英里内，瞬间充满矿工，成千上万……他们站在水里，身上沾满污泥和粘土，日夜工作，然后在寒冷和疾病中死去。读完这些，我不觉思考自己这令人不满的生活——别人做什么，我也跟着做什么。当矿区的景象浮现在眼前时，我问自己：为什么不想每天也淘一些金子？它是成色最好的微粒。为什么我不把竖井打到金子上，在矿山工作。巴拉腊特和本迪戈在等着你不管怎样，也许我可以开拓出一条道路，虽然这条道路孤独、狭窄而曲折，但在这里，爱和尊严与我相伴而行。

人们匆匆赶到加利福尼亚和澳大利亚，好像那里发现了真正的金子，但是南辕北辙，真正有金子的地方，不在那里。他们探矿的方向，和应该去的正确的方向，越来越远。当他们还在想：自己是最成功的人时，他们已经成了最不幸的那个人。我们国家的土壤里，没有金子吗？从金山而来的溪流，不流经我们的山谷吗？说来奇怪，如果一个矿工偷偷溜走，深入我们周围未曾探寻的荒野，去探测真正的金子，他没有别人紧随其后并努力拖垮他的危险。甚至，他会声称要挖掘整个山谷，包括开垦和未开垦的土地，他一生会很安宁，因为没有人和他争论。人们不关注他的淘金槽。而他，不局限于自己宣布的那12平方尺的地方，如巴拉腊特，而是去任何可能有金矿的地方，在他的淘金槽里，把全世界清洗一遍。

那个住在澳大利亚本迪戈矿区，发现那块28磅重、成色很好

的天然黄金的人，被休伊特如此描述：“他很快就开始酗酒，有了一匹马，到处骑着，到处狂奔。遇到人时，他就会高声呼喊，问人家是否认识他，然后亲切地告诉人家，他就是那个‘发现金块血腥的坏蛋’。最后，他以全速向一棵树奔去，差点把脑浆撞了出来。”但我想，这个倒不算危险，其实他的头，早已经撞上金块而脑浆迸裂了。休伊特又写道：“他真是一个无药可救、被毁了的人”。但这种人，却代表了一个阶级，他们都是急迫的人。听听他们挖掘地的名字：“蠢驴公寓”、“羊头沟”、“凶手酒吧”，等等，这些名字里，难道没有讽刺意味吗？让他们带上他们非法所得的财富，去他们想要去的地方吧！我想，那里不是“蠢驴公寓”，就是“凶手酒吧”。

我们的最后资源，是巴拿马地峡抢劫的墓地。一个还在发展初期的企业，根据最近的账目，一个议案已经通过了新格拉纳达立法机构的二读，用以调节采矿业，《论坛报》的一名通讯记者写到："在旱季，当天气允许适度勘探时，其他矿藏丰富的'墓地'也会被发现。"对于移民，他说："12月之前禁止前来，地峡航线优先于博卡·德尔·托罗航线。禁止携带无用的行李，禁止携带累赘的帐篷，带一副必要的好毛毯。必须带一把材质好的鹤嘴锄、铲子和斧子。"《宝德指南》中已列出建议，用斜体和小写字母写下最后的总结："如果你在家里是一把好手，那就留在那儿吧。"即"如果你在家里靠盗墓生活得很好，就留在那儿吧。"

但为何要把去加利福尼亚作为正文呢？因为她是新英格兰之子，是自己的学校和教堂培育起来的。

最舒适的简单生活

欧文

啊！善待人对尽善尽美的追求，善待思想，美德与和睦，以及富于乡村乐趣的家庭生活！

——库珀

一位想要对英国人的性格获得正确见解的异乡人，绝不能把自己的观察局限在大都会。他应该深入到乡村里去；他应该旅居于各地的村舍；他应该访问古堡、别墅、田舍、茅屋；他应该在公园和花园里去漫游，穿越树篱绿径；他应该到乡村教堂附近去流连，参与到教区的节庆和集市以及其他乡村喜庆宴乐活动中，去跟人们打交道，了解他们所有的生活状况、一切风俗习性和脾气性格。

在某些国家，大城市吸纳了全国的财富和时尚，成为高尚文雅的上流社会人物的固定居所，而乡村里居住的则几乎全是粗鲁

的农民。

在英国，情形恰好相反，大都会只是上流社会的临时聚集之所或通常的会晤之地，他们一年之中只有一小部分时间来到这里，匆匆享受欢乐放纵之娱，在沉溺于这类狂欢之后，就回归到乡居生活的显然更加惬意的习惯中去。因此，社会各个阶层都遍布于英国的整个国土之上，即使你在最偏僻的穷乡僻壤，周围也能见到不同社会阶层的各色人物。

事实上，英国人在农村感情方面具有强烈的禀赋。他们对于大自然的美拥有敏锐的感受力，对于乡居乐趣和农耕劳作也有很深的爱好。这种热情仿佛是与生俱来的。即使是城市居民，出生和成长于砖墙闹市之间，却很容易培养起乡村生活的习惯，显示出各种乡村职业的技能。商人在大都会近郊都有舒适的休憩之地，他们在那里营造花园、培植果木，所显示出的巨大自豪感和热忱，并不逊色于他们在生意经营上的作为和在商业发展上的成功。甚至那些命运较差的人，注定了只能在喧嚣拥挤的市廛之中度过时日，也要尽力在周围栽种些花木，能随时提醒自己想到大

自然绿意盎然的面貌。在城市最阴暗邋遢的区域，客厅的窗台看上去总像是开满鲜花的坡地。每一处可以栽植的方寸之地都有草圃和花坛，每个广场都有仿建的园林，布局富于诗情画意，青翠绿意悦目怡情。

我们只在城市里看到的那些英国人，其社会性格很容易让人形成不好的印象。在大都会里，要么他的身心都深陷在事务当中，要么就被许多耗费时间、思想和感情的约会弄得心神不定。因此，他通常是一副匆匆忙忙、心不在焉的模样。无论你在什么地方碰见他，这一刻他恰好正要到别的什么地方去；此刻他在和你谈论某个话题，可他的思想正转向别的事情；他对你做一次友好拜访的时候，却正在盘算自己要如何节省时间，以便赶赴安排在上午的另外几场访问。像伦敦这样的特大都市，简直是刻意要把人变得自私而无趣。他们在一些偶尔和短暂的会面中，除了几句简单的客套话之外，很难再多说什么。他们表现出来的只是其性格表面的冷漠——至于性格中种种丰富仁厚的品质还来不及暖热起来往外流溢。

Sisley.

正是在乡村生活中，英国人的天然感情才得到真正发挥的天地。他欣然从城市冷漠消极的礼仪客套中摆脱出来，抛开沉默含蓄的习惯，变得欢欣和开放起来。他会设法把上流社会的一切便利和优雅的事物都聚集在身边，却把它的约束丢掉。他的乡村居所中有的是满足各方面要求的条件，无论是幽居潜心读书、满足艺术享受还是从事野外运动都行。书、画、音乐、犬马和各种打猎器械，都触手可及。他对自己和对客人都不会加以任何限制，而以真诚的东道之谊提供种种娱乐的条件，让每个人都能随心所欲地参与其中。

英国人在农田耕作和所谓园林景观上所表现的情趣，是无与伦比的。他们热切专注地研究大自然，对于她的美丽形象与和谐协调培养起了一种精微感觉。大自然的魅力在其他国家往往大量散见于荒郊僻野之间，而在这里却被收聚在人们的家园生活的居所附近。他们似乎把自然界的一切不轻易示人的优美仪态全都捕捉在手，然后犹如凭借魔力一般使之展现在自己的乡居住宅周围。

没有什么比英国园林景物的壮观更能给人以深刻印象了。宽广的草地像鲜明的绿色地毯伸展开来，其间或点缀着丛丛巨树，浓密枝叶层层叠叠；庄严壮观的灌木丛和林地沼泽，不时有麋鹿成群结队地寂静漫游，野兔蹦跳着逃窜到隐蔽处，野鸡突然扑腾着振翅飞起；一条小溪被安排得蜿蜒流淌，颇富天然之趣；幽静的一泓池水，倒映着树木摇曳的身影，落叶静静安睡在水面上，鳟鱼无所畏惧地巡游在澄澈的水波中；一些乡村寺庙和林间雕像，虽然因年久而长满绿苔或者阴湿发霉，却也给这幽僻之境增添了某种古典神圣的趣味。

这些只不过是园林景色的几种特色而已，最使我喜爱的则是英国人那种善于对中产生活朴素无华的居所加以装点的创造才能。最粗陋的房屋，最不堪造就的一小块贫乏土地，到了一位有品位的英国人手里，都能变成一个小小的乐园。凭着他那善于分辨取舍的眼光，他能立即捕捉到它的一切潜在可能，并在头脑里勾画出未来的一片风景。原来的荒芜贫瘠之地在他的手下变得可爱了，然而产生这一切效果的匠心经营又几乎让人不能察觉。某些树木需呵护培植，其他一些又需细心修剪；花卉树木必须善于参差布局，以形成柔和优雅的扶疏枝叶；有的地方应该形成芳草茵茵的绿草斜坡，有的地方又要让人窥见遥远的一片蓝天或者一片银光闪耀的水波：所有这一切都颇费意匠经营，无处不在但又含蓄不露刻意之痕，正像画家完成一幅得意之作时那具有魔力的勾描点染。

富人雅士们营造的乡间居所，在乡村社会中播散出某种程度的审美情趣和优雅气质，一直影响到最低的阶层。从事农耕劳作的人，只不过拥有一间茅屋和一小块土地，也会留心对生活环境加以美化。树篱修剪得整整齐齐，门前有草坪，小小的花坛周围环以黄杨，墙壁上爬满忍冬，花朵垂吊在花格窗前，窗台上放置着花盆，房屋周围栽植冬青，为的是它在冬季可以让人忘却那种荒凉凄清，仿佛向室内投射进夏日的葱茏绿意，更使壁炉散发出融融暖意：这一切都证明了从上层发源的情趣品位浸淫于社会思想的下层。如果诗人所歌咏的爱神也乐于光临人间的草棚茅屋，那必定是英国农家的村舍乡居了。

英国较高阶层对乡村生活的喜爱，对于民族性格产生了巨大而有益的影响。我没见过比英国士绅阶级更优秀的一类人了。不像其他大多数国家高层人士所特有的那种柔靡和娇弱，他们显示出一种优雅与力量、健壮体格与鲜活气质的统一，我倾向于把这归因于他们有那么多时间生活在户外，那么热切地追求乡村的增益精力的活动。

这些艰苦的体力锻炼也培养了思想与精神的健康气质，以及举止气度上的雄健与单纯，即使是城市生活的荒唐放浪也不能轻易使其堕落，更不能完全将其摧毁。同时，乡村里不同的社会阶层似乎更能自由地相互接近，更容易彼此融合与和谐相处。乡村里社会阶层之间的分别似乎不像城市里那样明显和不可逾越。以小地产和农庄的形式构成的财产分布格局，建立起了一种规范的等级秩序，从贵族开始，然后是士绅阶层、小土地业主、殷实的农场主，一直到从事耕作的农民；这一方面把社会阶层的两端联合起来，同时也向每一个中间阶层注入了独立的精神。必须承认，这种情况现在已不像从前那样普遍，在最近的萧条年代里，较大的产业兼并了较小的产业，而且在这个国家的一些地方，几乎消灭了强健坚实的小农场主阶层。不过我相信，这些只是我刚才提到的总体制度中的偶然断裂而已。

乡村的工作与消遣并无卑贱可耻之处，它把人带入具有天然宏伟壮丽的景物之中，让他自己心灵的机能受到最纯洁最高尚的外界影响的陶冶。处于这种环境中的人或许是简单和粗鲁的，但不会低俗。因此，一位具有高度修养的人士在跟乡村里地位较低的人们交谈时，不会有任何的优越感，这与他同城市下层人们偶尔往来时的感受不同。他会把平日的矜持与含蓄抛在一边，欣然放弃忘却地位的差别，去享受那种普通生活的真诚淳朴之乐。确实，乡村的种种娱乐的确会使人们越发紧密地聚集起来，狩猎时的号角声与犬吠声会把人们的所有感情融入一片和谐。我相信，在英国贵族乡绅阶层在地位较低的阶层中较之其他国家更受欢迎；而后者尽管承受着过度的生存压力和极端困境，对财富分配不公与特权却并无普遍的怨愤，这应该是重要原因之一。

贯穿在英国文学中的乡土感情，或许也要归因于文明社会与乡村社会的这种混杂状况。英国文学中经常采用乡村生活的图景，那些从乔叟的《花与叶》延续下来的、充溢于英国诗人笔下的对大自然的无与伦比的描写，给我们的书房带来了清新田园图景的活色生香，这一切无不与此有关。其他国家的田园作家似乎对大自然只是偶一光顾，对它一般的美丽魅力只不过稍有领略；但英国诗人却是与大自然一起生活、共享欢乐——他们在她最常去的隐秘地追寻——观察她那最细微的变幻无定的风貌。一枝在微风中摇曳的枝条——一片扑簌坠地的落叶——一滴鸣溅于溪涧的钻石般的水滴——一缕发自野生紫罗兰的幽香——一朵在清晨绽放出腥红色花蕾的雏菊——这一切无不被多情而细腻的观察者注意到，精心锤炼成优美而富于意蕴的景象。

高雅之士奉献给乡村生活的这种热忱，对于这个国家面貌的影响是令人惊叹的。这个岛国的大部分地区地势相当平坦，假如没有人工开发所赋予的魅力，只会是单调乏味的，但是它看上去却似乎处处点缀和镶嵌着古堡宫殿，装饰着园林庭院。英国的宏伟壮丽的天然景物本不丰富，其特色在于乡村休憩和荫蔽幽静的家庭田园风光。

每座古老的农舍和每间长满苔痕的茅屋都是一幅图画，因为道路总是不断地迂回曲折，眼界总是被丛林绿篱阻断，人工营造的可爱的小块风景延续伸展，绵延不断，的确令人赏心悦目。

不过，英国风景的最大魅力却是仿佛弥漫于其间的一种道德感情。它的风景之美让人们在心中联想到秩序、宁静、合理构建的原则，以及久远的习惯与自古尊崇的风俗。这里的每件事物似乎都是在世世代代规范与和平的生活中孕育出来的。早期建筑的古老教堂，有着低矮厚重的门廊，巍峨的哥特式钟楼，精心保护的嵌满花格与彩色玻璃的窗户。昔日武士与名人的堂皇墓碑，他们是下面这块土地如今的主人们的祖先；而累累坟冢记载着它历代坚毅茁壮的自由民，他们的子孙仍然耕种着同一的土地，崇奉着同一的信仰。这里的牧师住宅形状最为奇特不一，一部分属于往昔的建筑，但遵循若干世代的各届主人的欣赏品味屡经翻修改建；——自教堂墓地延伸出篱墙与小径，依照已不可记忆的通行权，跨越怡人的田野，顺着绿荫树篱延伸；——临近的村庄，历史悠久的茅舍令人肃然起敬，树荫下的公共草地，当代居民的祖先们曾经在此游乐嬉戏；——旁边一座古旧巨宅独立于小块乡村土地上，以巍然的保护者的气度俯瞰着周围的景物。

总之，所有这一切普普通通的英国景观，都显示着一种淡泊宁静、安全无虞之感，以及淳朴之风与乡土之情的世代传承，都深切动人地讲述着这个民族的道德风尚。

每逢礼拜天清晨，当钟声正把它庄重的乐音传遍宁静的田野，你会看到村民们都穿上了最精美的服装，面色红润，怀着有节制的欢欣，成群结队安静地沿着绿径走向教堂，那景象实在令人愉快。更令人愉快的是在傍晚看到村民们聚集在自己的家宅门前，似乎在欢乐地欣赏他们简陋的舒适居所和一切点缀装饰，而这一切都是他们亲手造就制作的。

正是这甜蜜的家园感情，这对自己乡土景物的安宁恬适的感情，才真正是人们最持久不渝的美德与最淳朴的乐趣的来源。一位现代英国诗人对这一点表达得最为恰当，我觉得在此引他的诗作来结束这篇漫谈，是再合适不过了。

不论什么等级，从城堡内的殿堂，都市的拱顶，绿树荫翳的别墅，特别是那无数的朴素的邸宅，从中产阶级生活的乡镇村庄，直到山谷间的农舍和茅屋；这西方岛屿因风光而久享盛名，家庭幸福在这里得以栖居；而家庭幸福，像一只纯洁无邪的白鸽，（光荣与甜美的爱抚一直将它呵护）它能把飞遍人间去寻觅的欲望全都聚集在一个宁静的小窝中；它能在世界逃逸时，自享一个世界；无须别的见证，而由共享者自成天堂；它就像深藏在悬崖里的一朵花，独自微笑，尽管只仰望着天空。

四

愿你自带光芒，温暖且明媚

生活就是一种感到匮乏、不断需求与经常处于悲惨之中的条件状态，不论是谁，都得为自己的生存努力奋斗。

我们一起热闹地看看，这一路的风景

欧文

船啊，船啊，漂游在大海中央。

我远远地把你们眺望，我要前来询问你们，你们在守护着什么？又在筹划着什么？你们的终点和目标在何方？第一艘漂洋过海做生意，另一艘留下来守卫海疆，第三艘满载着财富返航。

嗨！我的幻想啊，你又将去向何方？——古诗对一个造访欧洲的美国人而言，他不得不经历的漫长航程是一次绝好的准备。暂时脱离了尘世生活和公务杂事，会产生一种特别适宜接受新鲜生动印象的心境。浩瀚的海洋把地球分隔成两半，就像在书中夹进了一页白纸。这绝不是逐渐变化的过程，而在欧洲从一个国家到另一个国家，就是因为这种逐渐变化，不同特色的风土人情几乎会在不知不觉中融汇一体。从你离去的故土在视野中消失的那一刻起，直到你踏上另一边的海岸为止，只有一片空阔，然后你即刻就被投入另一个世界的喧嚷和新奇之中。

在陆地上旅行，景物是连续变换的，人物事件也结成一个首尾相连的序列，可以延续那人生的故事，也可以减弱离别分隔之苦。的确，我们在旅途中的每次迁徙，手里都还拉着“一根不断延长的链索”，而这根链索是不会断裂的：我们可以一环又一环地回溯，我们会感到最后一环依然把我们紧紧地和家园维系在一起。可是在空阔的海洋中航行却把我们猛地分隔两方。它让我们意识到自己从稳妥安宁的生活中被抛了出来，漂泊到了一个令人疑虑的世界里。它让我们和家园之间横亘了一道深渊——这道深渊会充满风暴、恐惧和动荡不安，使人感到远在天涯而归期未卜。

至少，我自己的情况就是这样。当我看到故土的最后一抹蔚蓝像天际的一片孤云逐渐消失，我便感到，这个世界和一切有关的事物就像一卷书那样合上了，而在打开另一卷书之前，我有时间来进行一番冥想。此刻我眼前正在消失的这片土地，承载着我人生中最珍爱的一切，在我重返故土之前，它会发生怎样的变迁呢？我自己又会发生怎样的变化啊！当一个人开始出门漂泊的时候，谁能说得清生活变幻莫测的潮流会把他驱赶到何处，什么时候能重返故乡，或者是否有缘重访他曾度过童年的景象？我前面说，在海上只有一片空阔，对此我要有所修正。对于一个好做白日梦、沉溺于幻想的人来说，在海上航行却充满了可以冥思遐想的事物。而正是深海和天空的种种奇观，渐渐让人的心境抛开尘世杂务。在风平浪静的日子，我喜欢懒洋洋地斜靠着船尾的栏杆，一连几个小时对着夏日宁静的海面沉思；我喜欢凝望那刚刚露出地平线的一堆堆金色云彩，幻想它们是一片仙境，那里住满了我所想象出来的人物；我喜欢观望那轻柔起伏的海面，翻卷起银白的浪涛，仿佛要消失在幸福的海岸上。

我从令人眩晕的高处俯视深海中的怪物粗鲁的嬉戏，心中油然而生一种安全与恐惧相混杂的有趣感觉。成群的海豚围绕船头翻滚；逆戟鲸在海面上慢慢抬起它巨大的身躯；贪婪的鲨鱼像幽灵一样从蓝色的海水里蹦跳而出。我在想象中唤起了自己所听说过的、阅读到的有关海底世界的一切记忆：在深不可测的海谷中漫游的鱼群，潜藏在大海底部的无形怪物，还有充斥于渔夫和水手的故事中的怪诞幽灵。

有时候，遥远的一片孤帆在大海边缘滑过，又会激起另一番漫思随想。世界的这一小块碎片正急匆匆地赶着加入到千万人的生活之中去，是多么有趣啊！它是多么辉煌的一座人类发明的纪念碑啊！

它具有一种战胜狂风巨浪的气度；它使天涯海角融为一体；它让人类的福祉互惠，把南方的富饶物产倾注进北方的贫瘠地区；它传播知识的光辉和文明的慈爱；它借此把散落的人类聚集为一体，尽管大自然仿佛在人类之间设置了不可逾越的障碍。

一天，我们看见远处漂流着一个形状不清的东西。在大海上，只要出现任何足以打破周围单调景象的东西，总会引起注意的。原来那是一根桅杆，一定是属于一艘失事船舶的，因为桅杆上还残留着手巾，那是水手们用来把自己拴在桅杆上，以免被海浪冲走。找不到任何可以确定船名的痕迹。这根桅杆的残骸显然已经在海上漂流了好几个月，上面结着一簇簇贝壳，侧面挂着长长的海草。可是，我想，水手们如今在哪里呢？他们的拼死挣扎早已结束，他们已经在风暴的咆哮中沉没，他们的骸骨正躺在海底深渊中慢慢变白、寂静、湮没，就像海浪一样被覆盖，没有谁能讲述他们最后的故事。在这条船后面，曾经飘荡着怎样的叹息！在家中冷寂的火炉旁，曾经响起过怎样的祈祷？情人、妻子、母亲，怎样在每天的报纸里细细搜寻，期盼偶然找到这艘航船的消息！然而，期盼终由暗淡而变成焦虑，焦虑又变为恐惧，恐惧再变成绝望！啊！没有一件纪念品会送回来供亲爱者珍藏爱惜。所能知道的一切，不过是船驶离了港口，“从此杳无音信”！

看见这根桅杆的残骸，就像通常那样，令人心中涌起许多阴郁的逸事。到了傍晚更是如此，这时候本来一直晴朗的天气开始变得阴沉可怖，预示着在夏季风平浪静的航行中会突兀而至暴风骤雨。

当我们围坐在船舱里一盏灯的四周时，那暗淡的光线使得阴郁的气氛显得愈发可怖，每个人都讲述了自己沉船遇难的故事。船长讲的一个简短的故事尤其使我感动。

“有一次，”他说，“我驾着一艘坚固的好船驶过纽芬兰岛的海岸。经常笼罩那个地方的浓雾使得大白天也看不清前方的情况。到了夜里雾气更是浓密，在两个船身的长度之外就什么也看不清了。

我吩咐在桅杆顶端一直保持光亮，还派了个人一直瞭望前方，当心那些惯常停泊在岸边的小渔船。风吹得啪啦啪啦地响，我们的船穿过海浪疾驰向前。突然，瞭望员惊叫一声：“前面有条帆船！”话音未落，我们就撞了上去。那是一条停泊着的双桅纵帆船，船舷正对我们。水手全都睡着了，忘记要升起信号灯，我们正好端端正正地拦腰撞上了它。撞得那么猛，我们的船又大，一下子把帆船压进了海水里，从它上面驶过，继续向前疾驰。就在帆船四分五裂的残骸在我们的船下沉没的时候，我突然瞥见有两三个半裸着身子的可怜虫从船舱里冲出来。他们刚从床上爬起，就尖声号叫着被浪涛吞没了。我听见风声中夹着他们溺水时的呼叫。一阵狂风刚把呼叫声刮过我们耳边，立即又把它带走，再也听不见了。我永远忘不了那阵哭叫声！我们的船冲得那么快，花了好一阵子才掉过头来，凭着猜测尽可能靠近帆船刚才停泊的地方。我们在浓雾里来回巡航了几个钟头，放了信号枪，仔细倾听是不是有幸存者的呼叫声。然而只有一片沉寂——我们再也看不见他们的身影，听不到他们的声音了。”我得承认，这些故事有一阵子把我所有的美好想象都打破了。

夜色渐深，风也愈加狂暴。大海掀起了巨浪狂涛，阴郁可怖的浪涛声汹涌激荡，起伏回应。从天突降的闪电在泛起泡沫的海浪边沿上颤动，把头顶上的团团黑云撕成碎片，使得随之而来的黑暗显得加倍的可怕。雷声在狂涛巨浪上咆哮，如山的浪涛与之回应，响起了悠长的回声。我看到船摇摇晃晃，一头扎进咆哮的浪涛深谷中，却又奇迹般地再度获得平衡，重新浮出水面。有时候帆桁会淹没在水中，船头也几乎埋到了波涛下面。有时候会有一股激浪冲击过来，眼看就要把船吞没了，但只需把舵轮灵巧地一转，就能避开浪头，平安无事。

我回到船舱里，那可怕的景象却仍然紧随着我。在帆索间呼啸而过的风声，听上去就像是丧礼上的哀泣。船在翻腾起伏的海浪中挣扎航行，船桅在嘎嘎作响，舱壁在苦苦呻吟，这都令人心惊胆战。

当我听见浪涛击打着船身的两侧，咆哮声震撼着我的耳膜，就觉得仿佛死神在围绕着这座漂浮的监狱大发雷霆，正在寻找它的猎物：只要有一颗钉子松动，只要出现一条裂缝，死神就会乘虚而入。

然而，接着却是晴朗的一天，波涛不兴，微风习习，所有阴郁的思绪都很快烟消云散。明丽的天气和海上的和风令人心情畅快，其影响力简直无法抗拒。当甲板上扬起所有的风帆，每一面帆都被风满满涨起，船欢快地划破翻卷的波浪前进，它显得是多么高傲，多么威风啊——看起来就像是君临大海的统治者！

我简直可以把海上航程中的奇思妙想写成整整一卷书，因为它几乎无时无刻不在我脑中萦绕——不过现在是登岸的时候了。

那是一个阳光灿烂的早晨，从桅顶传来令人激动的一声喊叫：“陆地！”一个美国人第一次看见欧洲，心中顿时激情涌动，这种感觉只有亲身经历过的人才能有所体会。仅仅是“欧洲”这个名称，就足以引人浮想联翩。这是希望之乡，充满了他童年时代听说过的和学生时代默想过的种种事物。

从那一刻起直到登岸时为止，我心中一直激动得如痴如醉。战舰就像巨人卫士沿着海岸巡游，爱尔兰海岬一直伸进海峡，威尔士群山高耸入云——所有这一切都激起我强烈的兴趣。船驶进墨西河的时候，我用望远镜观看河岸。我欣喜地仔细观看带有整齐灌木篱笆和碧绿草地的洁净茅舍，看着一座被常春藤覆盖的颓败古寺的废墟，还看见一座乡村教堂的尖塔耸立在近旁小丘的斜坡上——所有这些景物都具有英格兰特色。

顺潮顺风，船片刻间就靠上了码头。码头上人潮涌动，有些是无所事事的看客，有的人则急切地等待着朋友或者亲属。我能辨认出那个接收船上货物的商人，我是从他眉宇间流露出的精心算计的特征和焦躁不安的神情看出来的。他把两只手插进衣袋里，若有所思地吹着口哨，来来回回走动着。人群给他让出了一块小小的空地，以对他在此刻具有的重要性表示敬意。岸上和船上的朋友之间彼此认了出来，总是会相互不断欢呼致意。我特别注意到一位衣着朴素但举止不俗的年轻女子。她在人群中探身向前，当船靠近岸边的时候，她的眼光急迫地朝船上搜寻，想要找到自己渴望的那张脸。她似乎变得既失望又焦虑，这时候我突然听见有个微弱的声音呼叫着她的名字。

那是一个可怜的水手发出的呼喊，他在整个航程中一直生病，激起了船上每个人的同情。天气晴朗的时候，同伴们就在甲板的阴凉处替他铺开一张床垫，不过近来他的病情日益恶化，就只得在吊床上躺着了。他说自己只希望在死前能再见妻子一面。我们驶入内河的时候，大家把他抬到甲板上来，现在正斜靠在桅索上，面容是那么憔悴、惨白和可怕，难怪妻子充满爱意的目光也没能把他认出来。可是她一听到他的声音，目光就紧盯着他的脸，顿时显现出无尽的哀伤。她双手紧握着，发出一声微弱的尖叫，在无言的哀痛中站在那儿绞扭着自己的双手。

现在处处是一片忙乱和喧闹。熟人间在见面交谈，朋友间在相互致意，商人们在洽谈事务。只有我被撇在一边，孤独而闲散。我没有朋友要见面，也没有欢呼可接受。我踏上了先祖的土地——可是我觉得自己在这片土地上是个异乡人。

珍爱自己的生命，也珍爱他人的生命

东山魁夷

人必须谦和地看待原野和草木。为此需要出门远游，同大自然相融合，或深入他乡，领略在野之人的生活情趣。当然，即便是我们哪儿也不去，庭院里的一木一叶，也自有一番意趣，在这茅庐中庭之中也有生命的涵义。

我凝望着庭院里的草木，更确切地说，我是在凝望枝头上的一片叶子，现在，它流淌着盎然的生机，在夏日阳光里闪烁光辉。我想起当它还是幼芽之时，我所看到的景致。那是去年隆冬时节，就在这片新叶尚未冒尖儿的地方，吊着一片枯瘦的黄叶，不久就脱离了枝干飘落到大地上。就在原来的枝杈处，你这幼小但强悍的嫩芽，以勃发的姿态冒出来了。

任凭霜刀雪剑，任凭狂风冷雨，你耐心地期待着春天，缓缓地在体内储积能量。一日破晓，微雨乍晴，我发现树枝上缀满粒粒水珠儿，这是一枚枚新生的幼芽饱含雨水闪闪发光。原来百草都在催芽，春天已悄悄临近了。

春天终于来了，万木一起充满兴头地吐翠了。然而，那些飘落在地面上的经年枯叶，早已腐烂化作醇厚的泥土。

你迅速长成了一片鲜活的叶子，在初夏的阳光下浮动着金绿色。对于柔弱的绿叶来说，初夏，既是充满生命力的季节，也是虫子最为猖獗的季节。幸好，你避开了虫害，安然地迎来了暑天，而今正同伙伴们织成浓荫，遮蔽了一大片天空。

我揣测着你的未来。到了仲夏，鸣蝉将在你的庇荫下吟唱，然而台风袭过之后，蝉儿的歌唱就变成了凄切的哀鸣，天气也随之有了凉意。蝉鸣声如弦断，随之而来的是树根深处秋虫的合唱，这唧唧的乐章，确也为秋夜的岑寂增添雅趣。

你的绿意，在不曾察觉的季节更替中，最终变成了一片发黄的树叶，在寒凉的雨声里低垂。夜来秋风敲击窗棂，次日起床来看，枝头已不见你的姿影。只看到你所在的枝杈上又冒出了嫩芽。等到这枚幼芽绽放生机的时候，你早已零落成泥，融合在大地的深处。

这就是大自然，不止是一片叶子，这世间的万事万物，都有一个相同的归宿。一叶坠地，绝不是没有意义的轮回。正是这黄叶片片，换来了整个森林的生命更新。这一片树叶的萌发和陨落，正标志着生命在四季里的马不停蹄的旅程。

同样，一个人的死关系着整个人类的生。死，固然为人所恶。但是，只要你珍爱自己的生命，也珍爱他人的生命，那么，当你在弥留之际，行将回归大地之时，你应当感到幸福。这便是我观察庭院中一木一叶的启示。不，是那片树叶向我讲叙生死轮回的奥义。

人要活在趣味之中

梁启超

我是个主张趣味主义的人：倘若用化学化分“梁启超”这件东西，把里头所含一种元素名叫“趣味”的抽出来，只怕所剩下仅有个0了。我以为：凡人必常常生活于趣味之中，生活才有价值。若哭丧着脸挨过几十年，那么，生命便成沙漠，要来何用？中国人见面最喜欢用的一句话：“近来作何消遣？”这句话我听着便讨厌。话里的意思，好像生活得不耐烦了，几十年日子没有法子过，勉强找些事情来消他遣他。一个人若生活于这种状态之下，我劝他不如早日投海！我觉得天下万事万物都有趣味，我只嫌二十四点钟不能扩充到四十八点，不够我享用。我一年到头不肯歇息，问我忙什么？忙的是我的趣味。我以为这便是人生最合理的生活，我常常想运动别人也学我这样生活。

凡属趣味，我一概都承认他是好的，但怎么样才算“趣味”，不能不下一个注脚。我说：“凡一件事做下去不会生出和趣味相反的结果的，这件事便可以为趣味的主体。”赌钱趣味吗？输了怎么样？吃酒趣味吗？病了怎么样？做官趣味吗？没有官做的时候怎么样？……诸如此类，虽然在短时间内像有趣味，结果会闹到俗语说的“没趣一齐来”，所以我们不能承认他是趣味。凡趣味的性质，总要以趣味始以趣味终。所以能为趣味之主体者，莫如下列的几项：一，劳作；二，游戏；三，艺术；四，学问。诸君听我这段话，切勿误会以为：我用道德观念来选择趣味。我不问德不德，只问趣不趣。我并不是因为赌钱不道德才排斥赌钱，因为赌钱的本质会闹到没趣，闹到没趣便破坏了我的趣味主义，所以排斥赌钱；我并不是因为学问是道德才提倡学问，因为学问的本质能够以趣味始以趣味终，最合于我的趣味主义条件，所以提倡学问。

学问的趣味，是怎么一回事呢？这句话我不能回答。凡趣味总要自己领略，自己未曾领略得到时，旁人没有法子告诉你。佛典说的：“如人饮水，冷暖自知。”你问我这水怎样的冷，我便把所有形容词说尽，也形容不出给你听，除非你亲自喝一口。我这题目——学问之趣味，并不是要说学问如何如何的有趣味，只要如何如何便会尝得着学问的趣味。

诸君要尝学问的趣味吗？据我所经历过的有下列几条路应走：

第一，"无所为"（为读去声）：趣味主义最重要的条件是“无所为而为”。凡有所为而为的事，都是以别一件事为目的而以这件事为手段；为达目的起见勉强用手段，目的达到时，手段便抛却。例如学生为毕业证书而做学问，著作家为版权而做学问，这种做法，便是以学问为手段，便是有所为。有所为虽然有时也可以为引起趣味的一种方面，但到趣味真发生时，必定要和“所为者”脱离关系。你问我“为什么做学问”？我便答道：“不为什么”。再问，我便答道：“为学问而学问”；或者答道：“为我的趣味”。诸君切勿以为我这些话掉弄虚机；人类合理的生活本来如此。小孩子为什么游戏？为游戏而游戏；人为什么生活？为生活而生活。为游戏而游戏，游戏便有趣；为体操分数而游戏，游戏便无趣。

第二，不息：“鸦片烟怎样会上瘾？”“天天吃。”“上瘾”这两个字，和“天天”这两个字是离不开的。凡人类的本能，只要那部分搁久了不用，他便会麻木会生锈。十年不跑路，两条腿一定会废了；每天跑一点钟，跑上几个月，一天不得跑时，腿便发痒。人类为理性的动物，“学问欲”原是固有本能之一种；只怕你出了学校便和学问告辞，把所有经管学问的器官一齐打落冷宫，把学问的胃弄坏了，便山珍海错摆在面前也不愿意动筷子。诸君啊！诸君倘若现在从事教育事业或将来想从事教育事业，自然没有问题，很多机会来培养你学问胃口。若是做别的职业呢？我劝你每日除本业正当劳作之外，最少总要腾出一点钟，研究你所嗜好的学问。一点钟那里不消耗了？千万别要错过，闹成“学问胃弱”的证候，白白自己剥夺了一种人类应享之特权啊！

第三，深入的研究：趣味总是慢慢地来，越引越多；像倒吃甘蔗，越往下才越得好处。假如你虽然每天定有一点钟做学问，但不过拿来消遣消遣，不带有研究精神，趣味便引不起来。或者今天研究这样明天研究那样，趣味还是引不起来。趣味总是藏在深处，你想得着，便要入去。这个门穿一穿，那个窗户张一张，再不会看见“宗庙之美，百官之富”，如何能有趣味？我方才说：“研究你所嗜好的学问”，嗜好两个字很要紧。一个人受过相当的教育之后，无论如何，总有一两门学问和自己脾胃相合，而已经懂得大概可以作加工研究之预备的。请你就选定一门作为终身正业（指从事学者生活的人说）或作为本业劳作以外的副业。（指从事其他职业的人说）不怕范围窄，越窄越便于聚精神；不怕问题难，越难越便于鼓勇气。你只要肯一层一层地往里面追，我保你一定被他引到“欲罢不能”的地步。

第四，找朋友：趣味比方电，越摩擦越出。前两段所说，是靠我本身和学问本身相摩擦；但仍恐怕我本身有时会停摆，发电力便弱了。所以常常要仰赖别人帮助。一个人总要有几位共事的朋友，同时还要有几位共学的朋友。共事的朋友，用来扶持我的职业；共学的朋友和共玩的朋友同一性质，都是用来摩擦我的趣味。这类朋友，能够和我同嗜好一种学问的自然最好，我便和他研究。即或不然——他有他的嗜好，我有我的嗜好，只要彼此都有研究精神，我和他常常在一块或常常通信，便不知不觉把彼此趣味都摩擦出来了。得着一两位这种朋友，便算人生大幸福之一。我想只要你肯找，断不会找不出来。

我说的这四件事，虽然像是老生常谈，但恐怕大多数人都不曾会这样做。唉！世上人多么可怜啊！有这种不假外求不会蚀本不会出毛病的趣味世界，竟自没有几个人肯来享受！古书说的故事“野人献曝”；我是尝冬天晒太阳的滋味尝得舒服透了，不忍一人独享，特地恭恭敬敬地来告诉诸君。诸君或者会欣然采纳吧？但我还有一句话：太阳虽好，总要诸君亲自去晒，旁人却替你晒不来。

成为一个不惑、不忧、不惧的人

梁启超

诸君：

我在南京讲学将近三个月了。这边苏州学界里头有好几回写信邀我，可惜我在南京是天天有功课的，不能分身前来。今天到这里，能够和全城各校诸君同聚一堂，令我感激得很。

但有一件，还要请诸君原谅：因为我一个月以来，都带着些病，勉强支持，今天不能作很长的讲演，恐怕有负诸君的期望哩。

问诸君："为什么进学校？"我想人人都会众口一辞地答道："为的是求学问。"

再问："你为什么要求学问？""你想学些什么？"恐怕各人答案就很不相同，或者竟自答不出来了。

诸君啊！我替你们总答一句吧："为的是学做人。"你在学校里头学的数学、几何、物理、化学、生理、心理、历史、地理、国文、英语，乃至什么哲学、文学、科学、政治、法律、经济、教育、农业、工业、商业，等等，不过是做人所需要的一种手段，不能说专靠这些便达到做人的目的。任凭你那些件件学得精通，你能够成个人不能成个人，还是另一个问题。

人类心理，有知、情、意三部分，这三部分圆满发达的状态，我们先哲名之为“三达德”——知、仁、勇。

为什么叫作“达德”呢？因为这三件事是人类普通道德的标准，总要三件具备才能成一个人。三件的完成状态怎么样呢？孔子说：“知者不惑，仁者不忧，勇者不惧。”所以教育应分为知育、情育、意育三方面。

现在讲的知育、德育、体育不对。德育范围太笼统。体育范围太狭隘。知育要教导人不惑。情育要教导人不忧。意育要教导人不惧。教育家教学生，应该以这三件为究竟；我们自动的自己教育自己，也应该以这三件为究竟。

怎样才能不惑呢？最要紧的是养成我们的判断力。

想要养成判断力：第一步，最少须有相当的常识；进一步，对于自己要做的事须有专门知识；再进一步，还须有遇事能判断的智慧。假如一个人连常识都没有了，听见打雷，说是雷公发威；看见月蚀，说是虾蟆贪嘴。那么，一定闹到什么事都没有主意，碰着一点疑难问题，就靠求神、问卜、看相、算命去解决。真所谓“大惑不解”，成了最可怜的人了。学校里小学、中学所教，就是要人有了许多基本的常识，免得凡事都暗中摸索。

但仅仅有这点常识还不够。我们做人，总要各有一件专门职业。这职业也并不是我一人破天荒去做，从前已经许多人做过。他们积了无数经验，发现出好些原理、原则，这就是专门学识。我打算做这项职业，就应该有这项专门学识。例如我想做农吗？怎样地改良土壤，怎样地改良种子，怎样地防御水旱、病虫，都是前人经验有得成为学识的。我们有了这种学识，应用他来处置这些事，自然会不惑；反是则惑了。做工、做商，都各各有他的专门学识，也是如此。我想做财政家吗？何等租税可以生出何样结果，何种公债可以生出何样结果，等等，都是前人经验有得成为学识的。我们有了这种学识，应用他来处置这些事，自然会不惑；反是则惑了。教育家、军事家，等等，都各各有他的专门学识，也是如此。我们在高等以上学校所求得的知识，就是这一类。

但专靠这种常识和学识就够吗？还不能。宇宙和人生是活的，不是呆的；我们每日所碰见的事理，是复杂、变化的，不是单纯的、刻板的。倘若我们只是学过这一件才懂这一件，那么，碰着一件没有学过的事来到跟前，便手忙脚乱了。所以还要养成总体的智慧，才能得有根本的判断力。

这种总体的智慧如何才能养成呢？

第一件，要把我们向来粗浮的脑筋，着实磨练他，叫他变成细密而且踏实；那么，无论遇着如何繁难的事，一定可以彻头彻尾想清楚他的条理，自然不至于惑了。

第二件，要把我们向来昏浊的脑筋，着实将养他，叫他变成清明；那么，一件事理到跟前，我才能很从容、很莹澈地去判断他，自然不至于惑了。

以上所说常识、学识和总体智慧，都是知育的要件；目的是教人做到“知者不惑”。

怎么样才能不忧呢？为什么仁者便会不忧呢？

想明白这个道理，先要知道中国先哲的人生观是怎么样。

“仁”之一字，儒家人生观的全体大用都包在里头。“仁”到底是什么，很难用言语来说明。勉强下个解释，可以说是：“普遍人格之实现。”孔子说：“仁者，人也。”意思说是人格完成就叫作“仁”。但我们要知道：人格不是单独一个人可以表现的，要从人和人的关系上看出来。所以“仁”字从二人，郑康成解他做“相人偶”。总而言之，要彼我交感互发，成为一体，然后我的人格才能实现。所以我们若不讲人格主义，那便无话可说；讲到这个主义，当然归宿到普遍人格。换句话说，宇宙即是人生，人生即是宇宙，我的人格和宇宙无二无别。

体验得这个道理，就叫作“仁者”。然则这种“仁者”为什么会不忧呢？大凡忧之所从来，不外两端：一曰忧成败，一曰忧得失。我们得着“仁”的人生观，就不会忧成败。为什么呢？因为我们知道，宇宙和人生是永远不会圆满的，所以《易经》六十四卦，始“干”而终“未济”；正为在这永远不圆满的宇宙中，才永远容得我们创造进化。我们所做的事，不过在宇宙进化几万里的长途中，往前挪一寸两寸，哪里配说成功呢？然则不做怎么样？不做便连一寸两寸都不往前挪，那可真失败了。“仁者”看透这种道理，信得过只有不做事才算失败，凡做事便不会失败；所以《易经》说：“君子以自强不息。”换一方面来看，他们又信得过凡事不会成功的；几万里路挪了一两寸，算成功吗？所以论语说：“知其不可而为之。”你想：有这种人生观的人，还有什么成败可说呢？

再者，我们得着“仁”的人生观，便不会忧得失。为什么呢？

因为认定这件东西是我的，才有得失之可言。连人格都不是单独存在，不能明确地画出这一部分是我的，那一部分是人家的，然则那里有东西可以为我所得？既已没有东西为我所得，当然亦没有东西为我所失。我只是为学问而学问，为劳动而劳动，并不是拿学问、劳动等做手段来达某种目的可以为我们“所得”的。所以老子说：“生而不有，为而不持。”“既以为人，己愈有；既以与人，己愈多。”你想：有这种人生观的人，还有什么得失可忧呢？

总而言之，有了这种人生观，自然会觉得“天地与我并生，而万物与我为一”；自然会“无入而不自得”。他的生活，纯然是趣味化、艺术化。这是最高的情感教育，目的是教人做到“仁者不忧”。

怎么样才能不惧呢？

有了不惑、不忧功夫，惧当然会减少许多了。但这是属于意志方面的事。一个人若是意志力薄弱，便有很丰富的知识，临时也会用不着；便有很优美的情操，临时也会变了卦。

然则意志怎样才会坚强呢？

头一件须要心地光明。孟子曰：“浩然之气，至大至刚。”“行有不慊之心，则馁矣。”又说：“自反而不缩，虽褐宽博，吾不惴焉。自反而缩，虽千万人，吾往矣。”俗词说得好：“生平不做亏心事，夜半敲门也不惊。”一个人要保持勇气，须要从一切行为可以公开做起，这是第一著。

第二件要不为劣等欲望所牵制。论语说：“子曰：‘吾未见刚者。’或对曰：‘申枨。’子曰：‘枨也欲，焉得刚？’”被物质上无聊的嗜欲东拉西扯，那么，百炼钢也会变为绕指柔了。

总之，一个人的意志，由刚强变为薄弱极易，由薄弱返到刚强极难。一个人有了意志薄弱的毛病，这个人可就完了。自己作不起自己的主，还有什么事可做！受别人压制，做别人奴隶，自己只要肯奋斗，终能恢复自由。自己的意志做了自己嗜欲的奴隶，那么，真是万劫沉沦，永无恢复的余地，终身畏首畏尾，成了个可怜人了。孔子说：“和而不流，强哉矫；中立而不倚，强哉矫；国有道，不变塞焉，强哉矫；国无道，至死不变，强哉矫。”我老实告诉诸君吧，做人不做到如此，决不会成一个人。但是做到如此真是不容易，非时时刻刻做磨练意志的工夫不可。意志磨练得到家，自然是看着自己应做的事，一点不迟疑，扛起来便做，“虽千万人吾往矣”。这样才算顶天立地做一世人，绝不会有藏头露尾、左支右绌的丑态。

这便是意育的目的，要人做到“勇者不惧”。

我们拿这三件事作做人的标准，请诸君想想，我自己现在做到哪一件？哪一件稍为有一点把握？倘若连一件都不能做到，连一点把握也没有，哎哟！那可真危险了，你将来做人恐怕就做不成！

讲到学校里的教育吗：第二层的情育、第三层的意育，可以说完全没有，剩下的只有第一层的知育。就算知育罢：又只有所谓常识和学识，至于我所讲的总体智慧靠来养成根本判断力的，确实一点儿也没有。这种“贩卖智识杂货店”的教育，把他前途想下去，真是令人不寒而栗！

现在这种教育，一时又改不来，我们可爱的青年，除了他更没有可以受教育的地方。

诸君啊！你到底还要做人不要？你要知道危险呀！非你自己抖擞精神想法自救，没有人能救你呀！

诸君啊！你千万不要以为得些片断的知识就是算有学问呀！

我老实不客气告诉你吧：你如果做一个人，知识自然是越多越好；你如果做不成一个人，知识却越多越坏。

你不信吗？试想想全国人所唾骂的卖国贼某人某人，是有知识的呀，还是没有知识的呢？

试想想全国人所痛恨的官僚、政客一专门助军阀作恶、鱼肉良民的人，是有知识的呀，还是没有知识的呢？

诸君须知道啊！这些人，当十几年在学校的时代，意气横厉，天真烂漫，何尝不和诸君一样，为什么就会堕落到这样田地呀？

屈原说："何昔日之芳草兮，今直为此萧艾也？岂其有他故兮，莫好修之害也。"

天下最伤心的事，莫过于看见一群好好的青年，一步一步地往坏路上走。

诸君猛醒啊！现在你所厌、所恨的人，就是前车之鉴了。

诸君啊！你现在怀疑吗？沉闷吗？悲哀、痛苦吗？觉得外边的压迫你不能抵抗吗？

我告诉你：你怀疑、沉闷，便是你因不知才会惑；你悲哀、痛苦，便是你因不仁才会忧；你觉得你不能抵抗外界的压迫，便是你因不勇才会惧。这都是你的知、情、意未经修养、磨练，所以还未成个人。

我盼望你有痛切的自觉啊！有了自觉，自然会自动。那么学校之外，当然有许多学问，读一卷经，翻一部史，到处都可以发现诸君的良师呀！

诸君啊！醒醒吧！养定你的根本智慧，体验出你的人格人生观，保护好你的自由意志。你成人不成人，就看这几年哩！

别让生活耗尽你的美好

叔本华

我们要通过人的生存本身，来考量意志内在的、本质的命运，由此来证明：生命本质上就是痛苦。

不管在什么层次的认识上，意志皆是以个体的形式出现的。作为个体的人，在无限的时空中仍自觉是有限的，与无限的时间和无垠的空间相比，自身以几乎一个消逝的数量，投入到时空的无限。既然时间与空间无限，那么个体的人只会有一个相对的某时某地，个体所处的时间与地点也仅是无穷无尽中的特别有限的部分。真正个体的生存，只有现时当下。现在会不可避免地逃入过去，就是不断过渡到死亡，慢性的死。个体过去的生命，排除对现时存在的某些后果，除了铭刻的过去与这一个体意志相关的证据不论，既然已经死去、完结、化为虚无了，如此，个体在适当的情形下就一定会将过去慢慢淡忘，无论那内容是快乐还是痛苦。

我们早已在无知无识的自然界中发现其内在本质就是不断

地、无休止无目的地追求挣扎，尤其在我们观察人和动物时，这一点就更加明显地显现在我们面前。人的一切本质就是欲望和挣扎，能与不可抑制的口渴相比较。不过，需要是全部欲求的基础，缺陷就意味着痛苦，所以人本来就是痛苦的，人的本质就逃不出痛苦的掌心。假如并非如此，人会因为容易得到满足，而即时消除了他的欲望，欲求的对象也就随之消失了。这样一来，恐怖的无聊与空虚就会乘虚而入，就会让人感到自身的存在和生存本身是不能承受的负担。因此，人生的过程就像钟摆一样，在痛苦与无聊间不停摆动；实际上，二者就是人生的最后两种成分。

构成意志现象本质的，就是那不停地追求与挣扎，在客体化的较高层次上，它之所以依然占据首要的与最为普遍的基地，是因为在这些层次上，意志呈现为一个生命体，并遵从供养这个生命体的原则；而让这一原则发挥作用的，恰恰在于这一生命体即是客体化了的生命意志本身。据此，作为意志最完美的客体化——人也就成了生物中拥有最多需求的生物了。人——全部是具体的欲求与需要，是无数需求的凝聚体。带着这些需求在这个世上生存，人只能靠自己，一切都没有定数，只有自己的需要才是最真实的。在如此直接而沉重的需求下，全部人生常常都在为维护那生存而忧虑着。这个世界对他来说，没有一点儿安全感。有诗为证：

人生如此黑暗，
危险如此之多；
只要一息尚存，

就这样、这样度过！

大多数人的一生都在为生存不断拼搏着，即使明知这场战斗的结果是失败。而让他们可以经得住这场艰苦卓绝的战斗的原因既是贪生，更是怕死；不过死毕竟常常站在后台，且不能避免，随时会走到前台来。生命本身就是处处布满旋涡与暗礁的海洋。人想方设法地想要避开这些旋涡与暗礁，尽管知道自己即便使出“浑身解数”成功避开这些陷阱，也会一步步走向那不可避免的、无可救药的、最终的海底葬身，并且是直对着这个结果，一往无前地驶向死亡。

不过现时需要注意的是，首先，人生的烦恼与痛苦很容易激增，以至于死亡竟成为人所期盼的事情，人们甘愿奔向它；其次，人刚刚在痛苦与困乏中得到喘息，空虚无聊立刻乘虚而入，以至于人又必然寻找消遣。那些有生命的事物忙忙碌碌地运转，原本是迫于生存，但是如果他们的生存已经毫无问题，他们就不知道该怎么办了。因此，推动他们的第二个动力就是摆脱这种负担（即生存）的挣扎，让生存不会被感知，即打发时间、排遣空虚无聊的挣扎。

这样我们就看到，几乎所有无忧无虑的人在抛掉了一切其他的包袱以后，却把自身当作包袱了；现时的情形是，打发掉的每一小时，即曾经为此倾尽全力以使之延长的生命中扣除一分，这反而变成收获了。不过空虚无聊却也不是可以轻视的祸害，最后它会在人的面孔上描绘出最鲜活的绝望，它将使像人这样并不如何互助互爱的生物忽然急切地相互追求，因此它就成了人们喜爱社交的动因了。就如同人们应付其他的灾害一样，为了避免空虚无聊的侵袭，只是出于政治上的考虑，处处都有公共的设备。由于这一灾害与饥饿一样，会促使人们奔往最大限度的肆无忌惮，人们需要的是“面包与马戏”。费城的忏悔院以寂寞和无所事事让空虚无聊成了一项惩罚的措施；而这种恐怖的惩罚已导致罪犯的自杀。困乏是平民们平时的灾难，与此相对的，空虚无聊就是上流社会平时的灾难。在平民生活中，星期日就意味着空虚无聊，六个工作日就意味着困乏。

由此看来，人生是在欲求和达到欲求间被消磨掉了，愿望的本性就是痛苦。愿望的达成将很快趋于饱和状态。目标形同虚设：每拥有一物，就表明让一物失去了刺激，于是欲求又以新的形态出现，不然，寂寞空虚就会乘虚而入；不过和这些东西作斗争，并不比与困乏作斗争来得轻松——只有当欲求和满足相交替的时间间隔刚刚好，二者所产生的痛苦又减少到最低时，才能构成幸福的生活过程。这是因为，人们习惯上认为的生活中最美妙、最纯粹的愉快的部分（这种愉快能让我们从现实生存中超脱而出，让我们变成对这种生存一点儿都不心动的旁观者），就是没有目的和欲求的单纯的认识，好比对美的体味，从艺术上得到的怡悦，等等。只有一小部分人可以享受到（这对天赋要求极高），而即使是这一小部分人，其享受的过程也是很短的，而且因为自己具有较高的智力，让他们所能感知的痛苦比那些迟钝的人多很多；不但这样，也让他们显然孤立于和他们不同的人群，那一丝对美的享受也因此被抵消了。

至于绝大部分的普通人，他们不能享受这种纯智力的好处，那种从艺术上得到的怡悦，他们也没法享受，反而完全处在欲求的支配下。因此，如果想引起他们的兴趣，受到他们的青睐，就一定要通过某种方式刺激他们的意志，哪怕只是在可能性中稍稍地触动一下意志，但决不能将意志的参与排除在外。这是因为，与其说他们在认识中生存，不如说他们在欲求中生存更恰当：作用与反作用就是其仅有的生活要素。这一本性常常不经意地流露出来，从日常现象和生活细节上搜集这类材料非常容易，比如，每到一个旅游胜地，他们总是写下“××到此一游”。因为这些地方既然对他们不起丝毫反应和作用，他们就用这个来表达他们对此地的反应和作用。再如，他们并不满足于只是观赏一只本地没有的罕见动物，而是要与它玩耍，刺激它，抚弄它，这些行为同样是因为作用与反作用。人类刺激意志奋起的需要，在扑克牌的发明和流传上表现得更为彻底，而这恰恰显露出人类可悲的一面。

不过大多数情形下，我们都封锁着自己，避免让自己接触到这一苦药般的认识：生命本质上就还是痛苦。痛苦并不是从外部向我们涌来，痛苦不竭的源泉恰恰是我们自己的内心。而我们却常常为这从未远离自己的痛苦找其他原因当借口，就像自由人为自己找偶像，好让自己有个主人一样。我们不知疲倦地从这一个愿望奔向另一个愿望，即便获得的满足每次都会给我们许下诸多好处，但实际情况却不是这样，多半没过多长时间就会转变成让人尴尬的错误——尽管如此，我们依然在用妲奈伊德穿底的水桶汲水，并且急急忙忙地奔向新的希望：

只要我们所追求的，一天没有到手，

对我们来说，其价值就超过一切；

不过一旦拿到手，就立刻另有所求。

总有一个渴望紧紧牵引着我们，

我们这些渴求生命的人。

全部的满足、人们所谓的幸福，不论是从其本来意义还是本质上看，都是消极的，没有一点是积极的。这种幸福并不是因为它自身本来要降福于我们，而必定永远是个愿望的满足。

由于愿望（即是缺陷）本是享受的前提条件，如果达到满足，愿望即完结，享受因而也就结束了。因此，除了从痛苦与窘困中获得解放以外，满足与获得幸福更不能是其他什么了。想要获得这种解放，首先不只种种现实的痛苦要显著，安宁的愿望也要不断受到种种纠缠、扰乱，甚至还要有让我们感到不堪生存重负的致命的空虚和无聊，想要有所行动却又这样艰难——一切打算都会面临无尽的困难与艰辛，每前进一步，就会遭遇新的阻碍。不过，即便最后克服了一切阻碍达到了目的，人们能够获得的，除了从某种痛苦或愿望中获得解放以外，即又再回到这痛苦或愿望未起之前的状态外，也不会获得其他什么了——在前面对幸福所下的结论正是基于此，所以全部的满足或者幸福又不会是持久的满足与福泽，而只是暂时从痛苦或缺陷中获得解放，之后必定又进入新的痛苦或沉闷，比如空洞的想望、无聊的状态；全部这些都能从世界的生活本质中，从艺术中，尤其是从诗中获得例证。

这样就会发现，不管是哪一部史诗或戏剧作品，只不过是在表达一种为幸福而作的苦苦挣扎、努力和斗争，绝不是在表达一种永恒的完满的幸福。戏剧的主人公，受到写作的约束，历尽万千磨难和危险而艰难达到目的，一旦目的达成，便快速落下舞台的幕布（全剧终）。显然，在达到目的以后，除了指出那一醒目的目标——主人公曾想方设法要找到幸福的目标，不过是和主人公开了一个玩笑，除了指出其在达到目标后并没有比之前的状态好多少外，就再没什么可以演出的了。真正永恒的幸福是不可能的，所以这幸福也不能成为艺术的题材。田园诗的目的虽然是为了描述这种幸福，但很明显它也不能担此重任。在诗人手中，田园诗常常不自觉地成了叙事诗——一种毫无意味的史诗：琐碎的痛苦、琐碎的欢乐、琐碎的奋斗——最普遍的情形就是如此。

为什么不能达到永久的满足，幸福为什么是消极的—考察想要弄清楚的这些问题，都已在前面阐释过了：意志就是一种毫无目标、永无止境的挣扎，而人的生命与任何的现象都是意志的客体化，意志总现象的每个部分都打上了这一永无止境的烙印，从这些部分现象一贯的形式起，从时间和空间的无限起，直至全部现象中最完善的一类——人的生命与挣扎止，全都如此虚度了。那是一种好像在梦里徘徊着的朦胧的追慕与苦难，是在一连串琐碎思虑的陪伴下经过四个年龄阶段而达到死亡。这些人就像是钟表一样的机器，只要上好了发条就能走，却不清楚为何要走。每当有人出生，就表明一个“人生的钟”上好了发条，为的是一拍连一拍、一段接一段地重新演奏那已响起过很多次、连听都不想再听的街边风琴的调子，即使其中出现变奏也不足为怪——这样，每一个个体，每一张人脸及其一辈子的经历都只是短暂的梦——无尽的自然精神的梦，永恒的生命意志的梦；不过是一幅飘忽不定的画像，任凭意志在它那无尽的画幅上随便涂抹，画在空间和时间上，让画像有个片刻的停留——同无尽的时间相比接近于零的瞬间，随即抹掉以便为新的画像腾出空间来。

但是不管是哪一个如此飘忽的画像，哪一个如此肤浅的念头，不管它怎样激烈，怎样承受深刻的痛苦，最后都一定由整个的生命意志，用害怕已久却终将面对的死，苦涩的死，来偿还。人生难以想通的一个方面就在这里；目睹一具人的尸体会让我们突然变得严肃起来，同样是出于这个道理。

单个个体的生活，假如从整体看，并仅关注大体的轮廓，所见只有悲剧；不过细察个别的情况，又会见到喜剧的因素。这是因为，一日间的蝇营狗苟和辛勤劳动，一刻间的别扭淘气，一周间的愿望和忧虑，每一时辰的差错，在经常打算戏弄人的偶然性与巧合性的润色下，都变为喜剧性的镜头。不过，那些没有实现的愿望，徒劳的挣扎，为命运残忍践踏了的希望，一生中所犯的那些错误，以及慢慢增加的痛苦和最后的死亡，就组成了悲剧的演出。如此一来，命运就好像在我们一生遭受痛苦后又特别加入了嘲笑的成分。我们的生命难以避免地注定会含有全部悲剧的创痛，但同时我们还不可以用悲剧人物的尊严来自许，而是被迫在生活的各个细节里成为那些猥琐的喜剧形象。

尽管每个人的一生都充满烦恼，使人生常常处于动荡不安的状态中，却依然没法弥补生活对填充精神的无力感，消除人生的空虚和肤浅；也没法拒绝无聊——它全心等待去填补忧虑空出的每一个间隙。因此又会出现另外一种情形：人的精神除了应对真实世界带来的忧虑、烦恼和无谓的忙碌外，还有多余时间在种种迷信的形态下创造出其他幻想世界。人会依据自己的形象来创造诸如妖魔、神灵和圣者等东西，随后往往会对这些东西定期或不定期地献祭牲畜、祈祷、修缮寺庙、许愿、朝拜、迎神，诸如此类。

这些行为往往与现实有着密切的联系，甚至还会让现实蒙上阴影。现实所发生的任何事都会被认定是那些鬼神在主导。只是与鬼神打交道就占去了人生很大一部分时间，并不断维系着新的希望，在幻觉的作用下好似要比与真人交往有趣得多。这就是人们双重需要的特征与表现：对救援和帮助的需要；对有事可做和打发时间的需要。

我们已经十分概括地考察了人生最基本的轮廓。在这个范畴内，先验论让我们坚信，从根本上说，人生已不会有真正的幸福。在本质上，人生就是一个形态繁多的痛苦、惯常不幸的状况。而假如我们现在尽量用事后证明的方式来研究具体的情况，想象一些场景并在事例中描绘那不可名状的烦恼、经验以及历史所指出的烦恼，而不去考虑人们是向什么方面看，出于什么念头进行研究，这样，我们就能在心目中更清晰地唤起这一信念了。

我们关于不可避免的、源于生命本质的痛苦所作的论证，本质上是冷静的、哲学的。每一个从青年时的幻想中清醒过来的人，假如他注意过自己和别人的经验——不论是在生活中，在当下和往昔的历史中，还是在杰出诗人的作品中——从许多方面作过观察，而且没有受到什么深刻成见的影响以致影响他的判断力，那么他或许会认识到如下的结论：人世间是一座偶然和错误的王国，在这一国度中，凡事都由它们支配，不管大事还是小事。

除了它们以外，还有愚昧和恶毒在旁挥动皮鞭，任何较美好的事物唯有突围这一条路可走，但非常艰难！高贵和明智的事物难以发挥作用或受到人们的关注；不好，思想王国中的谬论与悖理，艺术王国中的庸俗与乏味，行为王国中的得以恶毒与奸诈，事实上除了只被片刻的间歇打乱外，一直都掌握着统治权。与之相对应的是，每一种卓越的事物往往只是个例外，而且是百万分之一的概率。

而对于个人的生活，可以说每一部生活史就是一部痛苦史。从规律上来看，人的一生就是一系列不停发生的大小事故，即使人们极力隐瞒也不能掩盖这一事实。人们之所以隐瞒，是因为他们明白，别人想到这些恰恰是自己现在能够幸免的灾难的时候，必定难以产生关切和同情，而简直要说是感到满足了。但也许完全不可能有这样一种人，假如他是清醒和坦率的，会在他生命之火燃尽的时候还甘愿重复此生的经历；若是这样，他宁愿选择从来没有在这世上存在过。

她那么看过我

老舍

人是为明天活着的，因为记忆中有朝阳晓露。假若过去的早晨都似地狱那么黑暗丑恶，盼明天干吗呢？是的，记忆中也有痛苦危险，可是希望会把过去的恐怖裹上一层糖衣，像看着一出悲剧似的，苦中有些甜美。无论怎么说吧，过去的一切都不可移动；实在，所以可靠；明天的渺茫全仗昨天的实在撑持着，新梦是旧事的拆洗缝补。

对了，我记得她的眼。她死了好多年了，她的眼还活着，在我的心里。这对眼睛替我看守着爱情。当我忙得忘了许多事，甚至于忘了她：这两只眼会忽然在一朵云中，或一汪水里，或一瓣花上，或一线光中，轻轻地一闪，像归燕的翅儿，只需一闪，我便感到无限的春光。我立刻就回到那梦境中，哪一件小事都凄凉，甜美，如同独自在春月下踏着落花。

这双眼所引起的一点爱火，只是极纯的一个小火苗，像心中的一点晚霞，晚霞的结晶。它可以烧明了流水远山，照明了春花秋叶，给海浪一些金光，可是它恰好的也能在我心中，照明了我的泪珠。

它们只有两个神情：一个是凝视，极短极快，可是千真万确的是凝视。只微微地一看，就看到我的灵魂，把一切都无声地告诉给了我。凝视，一点也不错，我知道她只需极短极快地一看，看的动作过去了，极快地过去了，可是，她心里看着我呢，不定看多么久呢；我到底得管这叫作凝视，不论它是多么快，多么短。一切的诗文都用不着，这一眼便道尽了“爱”所会说的与所会做的。另一个是眼珠横着一移动，由微笑移动到微笑里去，在处女的尊严中笑出一点点被爱逗出的轻佻，由热情中笑出一点点无法抑制的高兴。

我没和她说过一句话，没握过一次手，见面连点头都不点。可是我的一切，她知道，她的一切，我知道。我们用不着看彼此的服装，用不着打听彼此的身世，我们一眼看到一粒珍珠，藏在彼此的心里；这一点点便是我们的一切，那些七零八碎的东西都是配搭，都无须注意。看我一眼，她低着头轻快地走过去，把一点微笑留在她身后的空气中，像太阳落后还留下一些明霞。

我们彼此躲避着，同时彼此愿马上搂抱在一处。我们轻轻地哀叹；忽然遇见了，那么凝视一下，登时欢喜起来，身上像减了分量，每一步都走得轻快有力，像要跳起来的样子。

我们极愿意说一句话，可是我们很怕交谈，说什么呢？哪一个日常的俗字能道出我们的心事呢？让我们不开口，永不开口吧!我们的对视与微笑是永生的，是完全的，其余的一切都是破碎微弱，不值得一提的。

我们分离有许多年了，她还是那么秀美，那么多情。在我的心里，她将永远不老，永远只向我一个人微笑。在我的梦中，我常常看见她，一个甜美的梦是最真实，最纯洁，最完美的。多少人生中的小困苦小折磨使我丧气，使我轻看生命。可是，那个微笑与眼神忽然从哪儿飞来，我想起惟有“人面桃花相映红”方可比拟的一点心情与境界，我忘了困苦，我不再丧气，我恢复了青春；无疑的，我在她的洁白的梦中，必定还是个美少年啊！

春在燕的翅上，把春光颤得更明了一些，同样，我的青春在她的眼里，永远使我的血温暖，像土中的一颗籽粒，永远想发出一颗小小的绿芽。一粒小豆那么小的一点爱情，眼珠一移，嘴唇一动，日月都没有了作用，到无论什么时候，我们总是一对刚开开的春花。

不要再说什么，不要再说什么!我的烦恼也是香甜的啊，因为她那么看过我。

悲观有一样好处，它能叫人把事情都看轻了一些。这个可也就是我的坏处，它不起劲，不积极。您看我挺爱笑不是？因为我悲观。悲观，所以我不能板起面孔，大喊：“孤——刘备！”我不能这样。一想到这样，我就要把自己笑毛咕了。看着别人吹胡子瞪眼睛，我从脊梁沟上发麻，非笑不可。我笑别人，因为我看不起自己。别人笑我，我觉得应该；说得天好，我不过是脸上平润一点的猴子。我笑别人，往往招人不愿意；不是别人的量小，而是不像我这样稀松，这样悲观。

我打不起精神去积极的干，这是我的大毛病。可是我不懒，凡是我该做地我总想把它做了，总算得点报酬养活自己与家里的人——往好了说，尽我的本分。我的悲观还没到想自杀的程度，不能不找点事作。有朝一日非死不可呢，那只好死喽，我有什么法儿呢？

这样，你瞧，我是无大志的人。我不想当皇上。最乐观的人才敢作皇上，我没这份胆气。

有人说我很幽默，不敢当。我不懂什么是幽默。假如一定问我，我只能说我觉得自己可笑，别人也可笑；我不比别人高，别人也不比我高。谁都有缺欠，谁都有可笑的地方。我跟谁都说得来，可是他得愿意跟我说；他一定说他是圣人，叫我三跪九叩报门而进，我没这个瘾。我不教训别人，也不听别人的教训。幽默，据我这么想，不是嬉皮笑脸，死不要鼻子。

也不是怎股子劲儿，我成了个写家。我的朋友德成粮店的写账先生也是写家，我跟他同等，并且管他叫二哥。既是个写家，当然得写了。“风格即人”——还是“风格即驴”？——我是怎个人自然写怎样的文章了。于是有人管我叫幽默的写家。我不以这为荣，也不以这为辱。我写我的。卖得出去呢，多得个三块五块的，买什么吃不香呢。卖不出去呢，拉倒，我早知道指着写文章吃饭是不易的事。

稿子寄出去，有时候是肉包子打狗，一去不回头；连个回信也没有。这，咱只好幽默；多咱见着那个骗子再说，见着他，大概我们俩总有一个笑着去见阎王的。不过，这是不很多见的，要不怎么我还没想自杀呢。常见的事是这个，稿子登出去，酬金就睡着了，睡得还是挺香甜。直到我也睡着了，它忽然来了，仿佛故意吓人玩。数目也惊人，它能使我觉得自己不过值一毛五一斤，比猪肉还便宜呢。这个咱也不说什么，国难期间，大家都得受点苦，人家开铺子的也不容易，掌柜的吃肉，给咱点汤喝，就得念佛。是的，我是不能当皇上，焚书坑掌柜的，咱没那个狠心，你看这个劲儿！不过，有人想坑他们呢，我也不便拦着。

这么一来，可就有许多人看不起我。连好朋友都说："伙计，你也硬正着点，说你是为人类而写作，说你是中国的高尔基；你太泄气了！"真的，我是泄气，我看高尔基的胡子可笑。他老人家那股子自卖自夸的劲儿，打死我也学不来。人类要等着我写文章才变体面了，那恐怕太晚了吧？我老觉得文学是有用的；拉长了说，它比任何东西都有用，都高明。可是往眼前说，它不如一尊高射炮，或一锅饭有用。我不能吆喝我的作品是"人类改造丸"，我也不相信把文学杀死便天下太平。我写就是了。

别人的批评呢？批评是有益处的。我爱批评，它多少给我点益处；即使完全不对，不是还让我笑一笑吗？自己写的时候仿佛是蒸馒头呢，热气腾腾，莫名其妙。及至冷眼人一看，一定看出许多错儿来。我感谢这种指摘。说得不对呢，那是他的错儿，不干我的事。我永不驳辩，这似乎是胆儿小；可是也许是我的宽宏大量。我不便往自己脸上贴金。一件事总得由两面瞧，是不是？

对于我自己的作品，我不拿她们当作宝贝。是呀，当写作的时候，我是卖了力气，我想往好了写。可是一个人的天才与经验是有限的，谁也不敢保了老写的好，连荷马也有打盹的时候。有的人呢，每一拿笔便想到自己是但丁，是莎士比亚。这没有什么不可以的，天才须有自信的心。我可不敢这样，我的悲观使我看轻自己。我常想客观地估量估量自己的才力；这不易做到，我究竟不能像别人看我看得那样清楚；好吧，既不能十分看清楚了自己，也就不用装蒜，谦虚是必要的，可是装蒜也大可以不必。

对作人，我也是这样。我不希望自己是个完人，也不故意的招人家的骂。该求朋友的呢，就求；该给朋友作的呢，就作。作的好不好，咱们大家凭良心。所以我很和气，见着谁都能扯一套。可是，初次见面的人，我可是不大爱说话；特别是见着女人，我简直张不开口，我怕说错了话。

在家里，我倒不十分怕太太，可是对别的女人老觉着恐慌，我不大明白妇女的心理；要是信口开河地说，我不定说出什么来呢，而妇女又爱挑眼。男人也有许多爱挑眼的，所以初次见面，我不大愿开口。我最喜辩论，因为红着脖子粗着筋的太不幽默。我最不喜欢好吹腾的人，可并不拒绝与这样的人谈话；我不爱这样的人，但喜欢听他的吹。最好是听着他吹，吹着吹着连他自己也忘了吹到什么地方去，那才有趣。

可喜的是有好几位生朋友都这么说："没见着阁下的时候，总以为阁下有八十多岁了。敢情阁下并不老。"是的，虽然将奔四十的人，我倒还不老。因为对事轻淡，我心中不大藏着计划，做事也无须耍手段，所以我能笑，爱笑；天真的笑多少显着年青一些。我悲观，但是不愿老声老气的悲观，那近乎"虎事"。我愿意老年轻轻的，死的时候像朵春花将残似的那样哀而不伤。我就怕什么"权威"咧，"大家"咧，"大师"咧，等等，老气横秋的字眼们。

我爱小孩，花草，小猫，小狗，小鱼；这些都不"虎事"。偶尔看见个穿小马褂的"小大人"，我能难受半天，特别是那种所谓聪明的孩子，让我难过。比如说，一群小孩都在那儿看变戏法儿，我也在那儿，单会有那么一两个七八岁的小老头说："这都是假的！"这叫我立刻走开，心里堵上一大块。世界确是更"文明"了，小孩也懂事懂得早了，可是我还愿意大家傻一点，特别是小孩。假若小猫刚生下来就会捕鼠，我就不再养猫，虽然它也许是个神猫。

我不大爱说自己，这多少近乎"吹"。人是不容易看清楚自己的。不过，刚过完了年，心中还慌着，叫我写"人生于世"，实在写不出，所以就近的拿自己当材料。万一将来我不得已而作了皇上呢，这篇东西也许成为史料，等着瞧吧。

夜莺与玫瑰

王尔德

“她说过，只要我送她红玫瑰，就和我跳舞。”青年学生大声说道，“但整个花园都没有红玫瑰。”

夜莺在圣栎树上的窝里听到他说话，从叶子的缝隙中看出去，十分惊讶。

“整个花园都没有红玫瑰！”这位学生叫道，他美丽的眼睛里充满了泪水。“啊，幸福取决于一些多么微不足道的东西啊！我读了所有哲人写的书，掌握了所有哲学的秘密，可就因为缺一朵红玫瑰，生活就变得痛苦不堪。”

“终于找到一个痴心的情人了。”夜莺说，“尽管我不认识他，却整夜整夜地歌唱他；我整夜整夜地对星星讲述他的故事，却直到现在才看见他。他头发的颜色就跟风信子花的颜色一样深，他的嘴唇就跟他想要的玫瑰一样红；但激情让他的面色变得苍白，就如同象牙，悲伤也在他的额头上留下了印记。”

“王子明晚会开舞会，”青年学生说，“我的爱人也会参加。如果我送她一朵红玫瑰，她会和我跳舞，一直跳到凌晨；如果我送她一朵红玫瑰，我就可以握着她的手，就可以用双臂搂抱着她，她会把头偎依在我的肩上。可是我的花园里没有红玫瑰，我只能孤独地坐着，她会从我身旁走过而不理睬我，我也会心碎。”

“他确实是个痴心的情人。”夜莺说，“他正在为我歌唱过的东西受苦。对我来说是快乐的东西，对他来说却是痛苦。爱情当然是奇妙的东西。它比绿宝石更宝贵，也比美丽的蛋白石更受人珍视。用珍珠和石榴石也买不到它，再说它也不在市场上出售。你不能从商人那里把它买来，也不能在天平上用黄金来衡量它的价值。”

“乐师们会坐在长廊里演奏弦乐器，”青年学生说，“我的爱人会随着竖琴和小提琴的乐声跳舞。她跳得那么轻盈，就像脚尖没有碰到地板一样。那些身着华服的侍臣会将她团团围住。可是她不会跟我跳舞，因为我没有红玫瑰可以给她。”他扑倒在草地上，双手蒙着脸哭了起来。

“他为什么哭呢？”一条小小的绿色蜥蜴竖着尾巴，跑过学生身边时问。

“是啊，为什么呢？”正在追逐着一束太阳光的蝴蝶也问道。

“是啊，为什么呢？”雏菊也用温柔的声音低低地问他的邻居。

“他哭是为了一朵红玫瑰。”夜莺说。

“为了一朵红玫瑰？”他们叫道，“这太可笑了！”那条小蜥蜴本来就是个刻薄鬼，当场就笑出了声。

可是夜莺知道学生悲伤的秘密。她静静地停在圣栎树枝上，思索着爱情的神秘。

突然，夜莺张开她棕色的翅膀飞了起来，高高地飞入空中，然后又像一片阴影似的掠过树林，滑进花园。

在草坪的中央种着一棵玫瑰树，夜莺看见就朝它飞了过去，停在了一根小树枝上。

“给我一朵红玫瑰吧，”夜莺说道，“我会给你唱最动听的歌。”

但玫瑰树摇了摇头。

“我的玫瑰都是白色的，”玫瑰树答道，“就像大海波涛的泡沫那么白，它们比雪山上的雪更白。你去找我的兄弟吧，他长在那台古老的日晷仪旁，也许会给你要的东西。”

于是夜莺飞到了长在古老日晷仪旁的那棵玫瑰树上。

“给我一朵红玫瑰吧，”夜莺说道，“我会给你唱最动听的歌。”

但玫瑰树摇了摇头。

“我的玫瑰都是黄色的，”玫瑰树答道，“就像坐在琥珀宝座上的美人鱼的头发那么黄。它们比割草人拿着他的大镰刀到来之前、在水草地上开花的黄水仙更黄。你去找我的兄弟吧，他长在学生的窗下，也许会给你所要的东西。”

于是夜莺飞到了长在学生窗下的玫瑰树那里。

“给我一朵红玫瑰吧，”夜莺说道，“我会给你唱最动听的歌。”

但是玫瑰树摇了摇头。

“我的玫瑰是红色的，”玫瑰树答道，“就像鸽子的脚那么红，比大洋洞窟中扇动的珊瑚更红。但是冬天的寒气已经侵入了我的血管，冰霜已经冻坏了我的花苞，风暴又折断了我的枝条，我今年不会再开花了。”

“我只要一朵红玫瑰就可以了，”夜莺叫道，“只要一朵！就没有办法让我得到它吗？”

“有一个办法。”玫瑰树答道，“但是它太可怕了，我不敢告诉你。”

“告诉我吧。”夜莺说，“我不害怕。”

“如果你要一朵红玫瑰的话，”玫瑰树说，“你必须在月光下用音乐把它造出来，而且要用你自己的心血把它染红。你必须一边唱歌，一边用胸口抵住我的一根尖刺。你必须唱一晚上，尖刺会刺穿你的心，然后你的生命之血就会流进我的血管，变成我的。”

“用死亡来换一朵红玫瑰，是很高昂的代价。”夜莺说，“生命对所有人都很宝贵。停在翠绿的树林里，看着太阳驾着金色的马车，月亮驾着珍珠色的马车经过天穹，是一件多么惬意的事啊！山楂花是那么芬芳，躲在山谷中的蓝色风铃花，在山丘上开放的欧石楠也是那么芬芳。可是爱情却比生命更珍贵，而且一只鸟的心又怎么能和一个人的心相比呢？”

于是夜莺又张开她棕色的翅膀飞了起来，高高地飞入空中，然后像一片阴影似的掠过花园，滑过树林。

青年学生跟夜莺先前离开他时一样，还躺在草地上，他美丽双眼中的泪水还没有干。

“你要开心，”夜莺叫道，“你要开心啊，你会得到那朵红玫瑰的。我会在月光下把它造出来，并且用自己的心血把它染红。我所要求的所有回报，只是你要做一个忠诚的情人。虽然哲学是智慧的，爱情却比哲学更智慧；虽然权力是强大的，爱情却比权力更强大。爱情翅膀的颜色就像火焰，身体的颜色也像火焰。爱情的嘴唇就像蜂蜜一样甘甜，呼吸就像乳香一样芬芳。”

学生抬起头来看夜莺，听她的叫声，却不懂她在对他说些什么，因为他只懂得书上写的东西。

但是那棵圣栎树却懂了，并且感到很难过，因为他很喜欢这只在他树枝上做窝的夜莺。

“给我唱最后一支歌吧，”圣栎树轻声说，“你走后，我会感觉孤单的。”

夜莺给圣栎树唱了一支歌，声音听上去就像水在银瓶中冒泡一般。

夜莺唱完歌之后，学生站起身来，从口袋里拿出一本笔记本和一支铅笔。

“她掌握了音乐的形式，”他一边穿过树林，一边自言自语，“这一点无法否认；可是她有情感吗？恐怕没有。事实上，她和所有艺术家一样：只有风格，没有感情。她不会为了别人而牺牲自己。她只关心音乐。人人都知道艺术家是自私的。但我必须承认，她还是唱出了几个美妙的音符。只可惜它们没有任何意义，也没什么实用价值！”学生回到自己的房间，在那张简陋小床上躺下，又开始想他的爱人。过了一会儿，他就睡着了。

月亮升起的时候，夜莺飞到玫瑰树旁，把胸口抵在尖刺上。她胸口抵着尖刺，唱了整整一晚上。清冷的月亮也低头倾听着。夜莺唱了一晚上，尖刺在她的胸口越刺越深，她的生命之血也在慢慢流失。

夜莺起初唱的是爱情在一对少男少女心中的诞生，玫瑰最高的枝条上开出了一朵奇迹般的花。随着夜莺的歌一首一首地唱下去，花瓣一片一片地张开来。这朵花起初是苍白的，就像笼罩在河流上的雾气一般——苍白如晨曦之足，银白如黎明之翅。这朵在玫瑰树最高枝上开放的花，就像水塘里、银镜中一朵玫瑰的影子。

但是玫瑰树叫夜莺把尖刺压得更深一些。“小夜莺，压得更深一些。”玫瑰树叫道，“不然玫瑰还没造好，白天就会到来。”

夜莺就把尖刺压得更深一些，她的歌声也越来越响亮了，她在唱一对青年男女心中的爱情。

玫瑰的花瓣绽出了娇柔的红晕，就像新郎在亲吻新娘时脸上泛起的红晕。但玫瑰的尖刺还未刺到夜莺的心脏，玫瑰的心还是白的。只有夜莺的心血才能染红玫瑰的心。

玫瑰又叫夜莺把尖刺压得更深一些。“小夜莺，压得更深一些。”玫瑰叫道，“不然玫瑰还没造好，白天就会到来。”

夜莺又把尖刺压得更深一些。刺尖碰到了她的心脏，一阵剧痛传遍了全身。那痛苦是多么锋利啊锋利，她的歌也变得那么狂热，她唱到了因死亡而变得更完美的爱，唱到了在坟墓中也不会死去的爱。

这朵奇迹般的玫瑰变成了绯红色，如同东方的朝霞。不但外圈的花瓣是绯红色，玫瑰的心也如同红宝石。

但夜莺的声音变得微弱了，她的小翅膀开始扑打起来，一层薄翳蒙上了她的眼睛。她的歌声变得越来越弱，她觉得有东西把她的喉咙哽住了。

这时夜莺爆发出了最后一阵歌声。雪白的月亮听到了歌声，居然忘了黎明已经到来，在天空中淹留不去。红玫瑰听到了歌声，狂喜地浑身颤抖，在早晨寒冷的空气中打开了花瓣。

回声女神把歌声带回到了她在山丘中的紫色洞穴，又把正在睡眠的牧童从梦中唤醒。歌声飘过河岸的芦苇丛，芦苇又把它的信息带给大海。

“看，看！”玫瑰树叫道，“玫瑰已经造好了。”可是夜莺没有回答，因为她已经坠落在高高的草丛中死去了，心上还插着那根尖刺。

中午，学生打开窗，往外一看。

“啊，我的运气真好！”学生叫道，“这里有一朵红玫瑰！我这一辈子都没见过这么美丽的玫瑰。它这么美，肯定有一个长长的拉丁文名字。”他弯下腰，把玫瑰摘了下来。

然后他戴上帽子，手里拿着玫瑰，跑去教授家。

教授的女儿坐在门廊里，正在把蓝色的丝线缠上纺车，她的小狗正躺在她的脚边。

“你说过，如果我送你一朵红玫瑰，你就会跟我跳舞。”学生叫道，“这朵是世界上最红的玫瑰了。今晚你把它戴在贴近心的地方，我们在一起跳舞的时候，它会告诉你我有多爱你。”

但是姑娘皱了皱眉。

“它跟我的衣服不配。”她答道，“再说了，宫内大臣的侄子送了我一些真正的珠宝。谁都知道，珠宝比花要值钱得多。”

“说实话，你真是不知感激。”学生气呼呼地把玫瑰往街上一扔。玫瑰掉在了街边的阴沟里，又被车轮碾过。

“不知感激！”姑娘说，“我要对你说的是，你很无礼。再说了，你又算什么？不过是个学生罢了。宫内大臣的侄子鞋子上有银搭扣，你连这个也没有。”她从椅子上站了起来，走进了屋里。

“爱情真是太荒谬了！”学生边走边自言自语，“它还不及逻辑的一半有用。爱情什么都证明不了，还老是告诉人一些根本不会发生的事情，让人相信一些根本不是真实的事情。爱情其实一点也不实用，在这个时代，实用就是一切。所以，我还是应当回到哲学，去研究形而上学。”

他回到自己的房间，拿出一本积满灰尘的大书，开始读了起来。

风度是一种不动声色的力量

爱默生

我们珍视风度，是因为它具有一种无形却巨大的力量，可以初步地塑造人，祛除人类情感和精神上的污垢，为他们清洁身体，裹上衣装，让他们直立起来。

风度的力量宛如永不干涸的源泉一样，无休无止——它是一种火一般的元素，什么样的阴霾也无法掩藏它那热情的光泽和温暖。无论在什么样的国家里，不论是共和制的国家还是民主制的国家，都和在封建王国中一样，贵族的气质是无法冒充的——东施效颦，只会让丑陋的东西更加丑陋。

没有人能够抵挡风度像阳光一样的影响！在文明社会中所学到的某些风度具有某种非同凡响的威力：一旦人具有了这些风度，他或她，就必然四处受到欢迎、尊重和仰慕，尽管他或她并不拥有美貌、财富或才智。如果赋予一个男孩以高雅的谈吐和各种技艺，那么，你也就赋予了他无论走到哪里都可以统治宫殿和控制财富的能力。他无须挖空心思地去赚取或获得这一切，他们自然会恳求他走进宫殿，拥有财富。

表面看来，这似乎是在玩弄骗人的障眼法，然而，这却像太阳每天早晨都要从东方升起一样真实。譬如，我们把生性腼腆、胆怯畏缩的姑娘们送到寄宿学校、马术学校、舞厅，或者其他任何一个可以让她们接近这种性别中有良好影响的人物那里去，不久，我们就会发现，她们已经通过言传身教和耳濡目染学会了高雅的举止和谈吐。一位时髦女性所具有的吸引力，还有她那种令人胆怯和畏缩的力量，都是由于别人相信她懂得一些别人尚不了解的策略和举止。但是，当别人也掌握了她的秘诀时，她们就不再仰视她，而是面对面地同她交往，泰然自若地同她相处、交流……

风度对人们的那种文雅的支配作用每天都在得到证明，这是一种润物细无声的作用。曾经莽撞的人不再莽撞。平庸的圈子也渴望并且学会了那些属于高层次的人们的礼仪和举止，而这是一种自然状态的或文化状态的东西，这是一种高级文化的产物。表面看来，似乎没有什么人注意你们的风度，然而，真实的情况却是：你们的风度时时刻刻都在受到监视，受到那些极少惹人怀疑的“委员会”的监视——这是一位身着便衣的“警察”。但是，当你们完全忽略了这种监视的时候，它们就会用自己的语言和行动来提醒你注意它们的存在：给予你们崇高的奖赏，或者拒绝给予你们崇高的奖赏。

我们总是在滔滔不绝地谈论着实用，却忘记了把我们联系在一起的却是风度。在营业时间里，我们只会去找那些知道我们想要什么东西，或者想干什么东西的人们，他们或是拥有我们所需要的东西，或是能够帮助我们完成我们想要完成的这件事或那件事——这个时候，实用主义的心思填满了我们的心胸，我们是不会让情趣和情感来妨碍我们的。可是，一旦营业时间结束，这种实用主义的心思也随即烟消云散，我们就会迅速地回归到懒懒散散的状态之中。我们就会渴求那些能够让我们感到悠闲和自在的人们，渴求那些言谈举止和格调与我们和谐一致的人们，渴求他们能够和我们一道四处旅行、游玩、谈笑……就像向日葵无时无刻不渴求阳光的抚摩一样。

当我们想到风度是如何使人前呼后拥、如何为人装点好一切、如何把人们吸引到一起；当我们想到风度是如何在一切俱乐部里塑造其成员，又是如何决定了那些雄心勃勃的年轻人的命运（在很大程度上，是她的风度嫁给了他；也同样在很大的程度上，是她嫁给了他的风度）；当我们想到风度是一些什么样的钥匙，又能开启一些什么样的秘密之锁；当我们想到风度所能传达的是一些多么宝贵的教训和多么令人欢欣鼓舞的性格象征；当我们想到为了破译这篇精妙绝伦的电报，我们必须具备多么强大的预测能力……当我们考虑到这一切时，当我们考虑到这一切所涉及的方方面面时，我们就会穿透重重迷雾，看到这个包罗万象的论题的核心，它与方便、力量和美又有什么样的关系。

风度的第一个用处是十分低级的，也就是说，在这个时候，它不过是一些较为次要的品行，但我们绝不应该因此而忽视它，因为，恰恰又是它，是文明的开端，——我的意思是说，它使我们能够相互容忍，和谐地生活在一起。

我们珍视风度，是因为它具有一种无形却巨大的力量，可以初步地塑造人，祛除人类情感和精神上的污垢，为他们清洁身体，裹上衣装，让他们直立起来。换句话说，它可以剥除他们动物的外皮和习性，逼迫他们保持干净。它可以吓退他们的恶意与卑劣，教导他们离开卑鄙的情感，而趋向宽厚的感情。它用自己清晰的声音告诉他们：拥有宽厚的感情，远比他们过去所作所为的一切都要幸福得多，恬美得多。

法律是公正和严厉的，可是，对那些在罪恶的边缘滑动的不良举止来说，它却无能为力：社会上寄居着大批粗俗不堪的、玩世不恭的、蠢蠢欲动的和轻浮无礼的家伙，他们依附在别人身上，为自己损人利己的行为逃离了法律的制裁而沾沾自喜。可是，他们高兴得太早了：一种已经结晶为良好风度的公众舆论和一种已经为公众的理智所接受的文明行为却可以触及、惩戒这些家伙。

譬如反驳者和诅咒者，他们无论是在公开的场合里，还是在私下的场合里，都像一条猎狗，他们以为一条体面的猎狗的职责就是对所有的过路人都大声嗥叫，狺狺不已，把所有的过路者都驱赶得无影无踪，似乎只有这样，他们才尽了自己的地主之谊。我曾经见过一些家伙，每当你反驳他们，或者说一些他们无法理解的东西时，他们就会像一匹恼怒的驴子那样，昂起脑袋，嘶鸣不已；还有那些鲁莽的人，他们自己邀请自己，来到你的壁炉前；还有那些喋喋不休的饶舌者，他们以极大的热情和耐心向你灌输他们的人生和社会，直到把你撑得半死不活；还有那些自我怜悯的可怜虫——一个令人恐惧的社会阶层；还有那位轻佻的魔鬼艾斯摩迪尔斯，他寄生在你的灵魂中，控制你，让你去那些乱麻一样纠缠在一起的绳索中寻找他的踪迹；还有那些单调的东西……总而言之，就是说种种类型的野蛮和荒唐的行为。所有这些，都是社会的祸害，像蛆虫一样藏匿在社会肌体中的祸害。他们既蛮横地无孔不入，又狡猾地见风使舵，所以，即使是法官也无法抓住他们、医治他们，无法使你免遭其害。

所以，这些祸害必须交给由习俗、谚语和行为准则所规定的约束性力量去拘捕、惩戒。而这些约定俗成的习惯、谚语和行为准则，早在学生时代，就在年轻人的心里播下了自己的种子。

在密西西比河岸边的旅馆里，人们常常——或者，准确地说，是过去常常——在旅馆守则里写道“绅士必须衣着整洁方可在公共场所就餐”。同样是在那片土地上，在教堂的座椅上也贴着个小小的告示，以此恳请礼拜者切莫随地吐痰，污染环境。查尔斯·狄更斯曾经不遗余力，以自我牺牲的精神担当起改革美国生活方式的责任，力图矫正某些恶劣透顶的社会习俗。我认为，他的努力所浇注的文明之花并没有完全随风而逝。他毫不留情，把恶劣的社会习俗赤裸裸地暴露出来。只有这样，那些粗鲁而麻木的家伙们才能看清楚那种畸形的丑态。不过，令人遗憾的是，即使是这本警戒世人的书本身也略显畸形，或者说，它本身也是一个畸形的社会产物：它本来无须在阅览室的墙壁上贴上一条告示，告诫陌生人不得在室内大声喧哗。它也无须提醒那些观赏精美雕刻的人士，对待这些雕刻，应该像对待纤细的蛛丝和清脆的蝉翼那样谨慎。它更无须警告大理石雕塑的参观者们，切忌用拐棍敲打雕像。然而，现实令人汗颜：即使是在这座最为文明的城市中，在艺术会堂和市立图书馆中，这一类告示也并非完全多余！

我为你祝福

亨利克·显克维奇

在一个晴朗的夏日夜晚，伟大而智慧的克利什纳陷入了沉思，一会儿他说：

“我曾以为，人是世间最美妙的造物，可是我错了。面对这晚风中摇曳的睡莲，有什么能比它更美丽呢！月色中渐次展开的花瓣紧紧地吸引着我的目光。”

“是的，人类之中找不出这样的美。”他一边叹息一边说。

接着，他又说：

“我作为一个神，为什么不用自己的力量创造一个生命，使它恰如花中睡莲一般出现于人类之中，使它成为人类与大地的欢乐！睡莲呵，你就变成一位妙龄少女站在我面前吧！”

恰如飞燕掠水，漾起轻柔的涟漪；月光皎洁；夜色明亮；夜莺也唱起了动人的歌，蓦地，一切又归于沉寂，法术已经完成：一个美人形的莲花出现在克利什纳面前。

神自己也惊异了。他说：

“你原是湖中的一朵睡莲，如今成了我思想之花，你有什么要跟我说吗？”

花的少女开口了，一如被夏的轻风吻过，洁白的花瓣在窃窃低语：

“主呵！你给我以生命，但你让我住在哪儿呢？你知道，当我还是一枝花儿的时候，风一刮我就颤抖，就闭上花瓣。主呵，我怕狂风暴雨，也怕雷电，还怕太阳炙人的光。你让我变成少女，却依旧保存着我原来的性情，我害怕这土地和地上的一切呵。”

克利什纳抬起他那智慧的眼睛望着夜空中的星辰，沉思一会儿后问道：

“你可愿意生活在山顶上？”

“山顶上积雪，太冷，主呵，我害怕。”

“那么，在湖底为你盖一座宫殿呢？”

“湖底有巨蟒和别的怪物游动，我也怕。”

“你喜欢广袤的旷野吗？”

“主呵，旷野会遭兽群似风暴和雷电的蹂躏。”

“那怎么办呢，化身人形的花儿？噢，在埃罗拉山洞里住着神圣的隐士们。你可愿意远离人世，住到那些洞府里去么？”

“洞府太幽暗，主呵，我也怕。”

克利什纳坐在岩石上，用一只手支着脑袋。那个少女站在他面前，因恐惧而颤抖着。

晨曦映照着东方的天空。湖水、棕榈和竹林都抹上一层金黄色。水上是蔷薇色的鹭鸶、灰蓝的仙鹤、雪白的天鹅，林子里有孟加拉雀和孔雀，它们此起彼落，像合唱似的在那儿啼鸣；绷在贝壳上的弦儿发出的乐声和人们的歌声中，克利什纳从沉思里醒来。他说：

“这是诗人瓦尔美基在礼拜初升的太阳。”

一会儿，覆满紫花的帐幔拉开了，瓦尔美基便出现在湖畔。

当他发现人形莲花的时候，停止了奏乐。手里的珍贝滑落到地上，两臂下垂，话也说不出来，仿佛伟大的克利什纳把他变成湖畔的一棵树了。

神喜悦于诗人对其创造的惊叹。他说：

“瓦尔美基，告诉我吧！”

瓦尔美基说：

“我爱！……”

这是诗人所记得的唯一的话，也是他所能说的唯一的话了。

克利什纳脸上焕发出喜悦的光彩。

“美妙的少女，在这个世界上我已为你找到了一个合适的地方：待在诗人的心里吧！”

瓦尔美基重复说：

“我爱！……”

万能的克利什纳的意志，神性的意志渐渐使少女向着诗人的心。神又使诗人的心像水晶一样纯净透明。

当少女走向自己圣殿的时候，她像夏日一样明朗，像恒河的水一样平静。但当她更深地看着诗人瓦尔美基内心的时候，她的脸色一下苍白起来，恐惧犹如冬天的寒流笼罩着她。克利什纳惊讶地问道：

“人形的花儿，你还怕诗人的心么？”

“主呵，”少女回答说，“你要我住哪儿呢？我在诗人的心里看到了积雪的山顶，潜伏着怪物的深渊，隐藏着风暴雷电的旷野，还有埃罗拉洞府的幽暗。这使我害怕，主呵！”

但善良聪明的克利什纳回答她说：

“人形的花儿，别担心。要是瓦尔美基心里有孤寂的积雪，你就是春天温馨的和风，可以使它们融化；要是他心里有深渊，你就是那深渊里的一颗珍珠；要是他心里是一片荒漠，你就在那里播种幸福的花；要是他心里是埃罗拉幽暗的洞窟，你就是黑暗中的光明”

这时，诗人瓦尔美基又恢复了说话的能力，“花儿，我为你祝福！”